国家出版基金项目
NATIONAL PUBLICATION FOUNDATION

《三联经典文库》

第二辑

2012年国家出版基金项目

三联经典文库

136

中华民国宪法刍议

罗家衡 著

生活·讀書·新知 三联书店

图书在版编目(CIP)数据

中华民国宪法刍议 / 罗家衡著. -- 北京：生活·读书·新知三联书店, 2014.1
（三联经典文库第二辑）
ISBN 978-7-108-04658-1

Ⅰ. ①中… Ⅱ. ①罗… Ⅲ. ①宪法－草案－中国－民国
Ⅳ. ①D929.6

中国版本图书馆CIP数据核字(2013)第246507号

责任编辑	邵慧敏
封扉设计	蔡立国
责任印制	郝德华
出版发行	生活·讀書·新知 三联书店 (北京市东城区美术馆东街22号)
邮　　编	100010
经　　销	新华书店
印　　刷	北京鹏润伟业印刷有限公司
版　　次	2014年1月北京第1版　2014年1月北京第1次印刷
开　　本	787毫米×1092毫米 1/32　印张 7
字　　数	95千字
定　　价	26.00元

《三联经典文库》出版缘起

适逢生活·读书·新知三联书店八十华诞，为弘扬传统，接续文脉，回报读者，服务社会，我们决定策划出版《三联经典文库》。

1932年7月，生活书店在上海创办，此后，读书出版社和新知书店相继成立。本文库第一辑、第二辑所选图书，来自于这三家出版单位及其分支机构，以及1948年生活·读书·新知三联书店成立后的出版物，始于1932年，截至1951年，两辑各一百种。此为第二辑，涉及政治、经济、社会、军事、思想文化诸领域，涵盖专著、文集、散文、小说、诗歌、传记、报道等体裁，既有直面现实、追求真理、讴歌真善美、抨击假恶丑的原创作品，又有引介世界各国先进文化、传播新知、开启民智的迻译之作，真实记录了那一代知识分子的思考与探索、理想与愿景和对中华民族文化传承与创新所做出的努力与贡献。

本文库所辑入各书，多为名家名作，在版本方面，以初版一印本或经著译编者审定、修订、增订过的版本为首选，因此本文库又具有较为珍贵的版本价值和收藏价值。

本文库还将编选续辑，使之成为恢弘文化工程。诚挚希望读者给予批评和指正，帮助我们完善编选工作，再现三联经典作品之风采。殊为遗憾的是，由于年代久远，一些原著译编者及其后人未能取得联系并奉付稿酬，诚盼版权所有者与我们联系。祈愿三联前辈所创造的精神财富能薪火相传，为中华文化的伟大复兴增光添彩。

《三联经典文库》编辑委员会

2013 年 8 月

凡　例

一、本文库为重排本，由繁体字竖排版改为简体字横排版。

一、以忠实于原作、整旧如旧为编辑原则，对当时使用的专有名词、外文译名，以及民国时期的语言和特色予以保留。

一、原书注释如旧，编者所出的注释，均以“编者注”标明，以示与原书注释的区别。

一、对原书残缺或字迹漫漶之处，以□示代。

一、对繁简文本转换时的“如右”、“见左”一类，对应改为“如上（前）”、“见下（后）”。

一、对原书中各种错讹脱衍之处，直接订正，不再以其他符号标示。

一、对数字、标点符号的用法，在不损害原文语义的情况下，做必要的规范。

一、本文库各书均前插原书书影、原书版权页和文库版“本书出版说明”。

一、本书出版说明的撰写，以客观中立为原则，扼要介绍本书的内容、版本流转、著译编者的情况。

本书出版说明

本书一名“五五宪草修正案”，针对1936年5月5日国民政府公布的《中华民国宪法草案》(“五五宪草”)，以“力求适合吾国国情、力求满足现代人民需要、力求适合现实并兼顾将来”为原则，参考四十多国的新旧宪法条文和宪法、国家、政治等学说，对草案提出修正和增删意见。作者按照其修正后的条文顺序，逐条列举并阐释修正或增删的理由。在正文之前列有总目，将宪草原文、修正文、增加文和删减文悉数注明，方便查考；并在每章之首和部分段落之前，缀以概论，阐明该章、节之要旨。

本书由上海自由出版社1945年8月初版，1946年9月再版，此次出版以1946年版本为底本。除“王序”、“再版自序”和“附载”，本书正文部分所用标点均为顿号，或不使用标点。此次编辑出版时，我们均予以保留，以再现原书面貌。

罗家衡（1883-1961），字象平，江西吉安人。清末举人，后赴日本，就读于早稻田大学政治经济系。毕业回国后，任江西法政专门学校校长。辛亥革命爆发后，参与江西光复活动，后被任命为江西都督府内务司司长。1913年当选为国会众议院议员。1916年国会重新恢复时，再任众议院议员。1917年随孙中山南下护法，任护法国会众议院议员，兼大元帅府秘书。1920年任广东政学会干事。1922年任北京政府唐绍仪内阁农商部次长，不久辞职。后脱离政界赴上海从事律师工作。1936年任国民政府外交部特派察哈尔省交涉员。抗战爆发后，前往重庆。1938年任第一届国民参政会参政员，参与抗日活动。1946年任“制宪”国大代表。次年被聘为宪政实施促进委员会常委，兼中国新社会事业建设协会候补理事等。新中国成立后，任上海市政协常委等。

生活·读书·新知三联书店

2013年8月

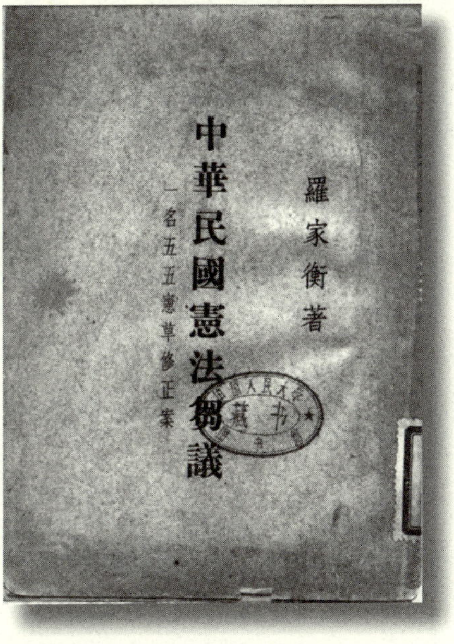

自由出版社 1946 年 9 月版书影

中華民國十四年八月出版
中華民國十五年九月再版

中華民國憲法芻議

實價國幣
外加郵運匯費

編著者　羅家衡

發行者　自由出版社
上海施高塔路五號

分售處　上海及各埠各大書局

原书版权页

目次

四　修正宪法

原第三十二条
改第三十七条　**原　文**　国民大会之职权如下　53

一　选举总统副总统立法院长副院长监察院长副院长立法委员监察委员

二　罢免总统副总统立法司法考试监察各院院长副院长立法委员监察委员

三　创制法律

四　复决法律

五　修正宪法

六　宪法赋予之其他职权

修正文　53

一　选举总统副总统行政立法司法考试监察各院院长副院长立法委员监察委员

二　罢免总统副总统行政立法司法考试监察各院院长副院长立法委员监察委员

三　创制法律

四　复决法律

五　宣战媾和

六　大赦戒严

七　缔结条约

八　预算决算

民代表为限 91

一 各省人口未满五百万者每省四人五百万以上未满一千五百万者每省八人一千五百万以上未满二千万者每省十人二千万以上未满二千五百万者每省十二人二千五百万以上未满三千万者每省十四人三千万以上者每省十六人

二 蒙古西藏各八人

三 侨居国外国民八人

修正文 立法院立法委员名额不得逾百人 91

原第六十八条
改第七十五条 **原 文** 立法委员任期三年连选得连任 92

第七十六条 **增加文** 立法院有议决法律之权 92

第七十七条 **增加文** 立法院院长或立法委员七人以上之连署者得提出法律案 92

第七十八条 **增加文** 各院院长得就主管事项提出法律案 92

第七十九条 **增加文** 立法院议决之法律案关于财政者必须送交国民大会复决其他立法院得送交复决或国民大会请求送交复决 93

第二项 **增加文** 法律案不经国民大会复决者由立法院院长于议决后十日内公布之其须经国民大会复决者于复决覆到后三日内公布之 94

选出之国民代表各预选二人提请国民大会选举之其人选不以国民代表为限　104

原第九十一条改第九十八条　**原　文**　监察委员任期三年连选得连任　104

原第九十二条改第九十九条　**原　文**　监察院对于中央及地方官吏违法或失职时经监察委员一人以上之提议五人以上之审查决定提出弹劾案但对于总统副总统及行政立法司法考试监察各院院长副院长之弹劾案须有监察委员十人以上之提议全体监察委员二分之一以上之审查决定始得提出　104

修正文　监察院对于中央及地方官吏违法或失职时经监察委员一人以上之提议五人以上之审查决定提出弹劾案但对于总统副总统及行政立法司法考试监察各院院长副院长之弹劾案须有监察委员十人以上之提议全体监察委员三分之一以上之审查决定始得提出　105

原第九十三条改第一〇〇条　**原　文**　对于总统副总统行政立法司法考试监察各院院长副院长之弹劾案依前条规定成立后应向国民大会提出之在国民大会闭幕期间应请国民代表依法召集临时国民大会为罢免与否之决议　106

原第九十四条改第一〇一条　**原　文**　监察委员对于院内之言论及表决对外不负责

修正文　省设省民会代表全省人民行使省民政权省民会由全省各县人民直接选举之代表组织之　119

代表之名额每县一人其人数逾三十万者加选一人任期三年连选得连任　119

第一一〇条　增加文　省民会于每年之三月一日自行集会一次其会期为二个月必要时得延长二十日但有下列情事之一者得开临时会　120

一　省民会代表三分一以上之联名通告

二　省政府之牒集

第一一一条　增加文　省民会之职权如下（款文详宪法文内）　120

第一一二条　增加文　本宪法规定国民代表职务与行为之限制及其自由之保障省民代表适用之　121

原第九十八条改第一一三条　原　文　省设省政府执行中央法令及监督地方自治　121

修正文　省设省政府除处理并监督地方自治行政外兼依中央法令执行该省之中央行政　121

原第九十九条改第一一四条　原　文　省政府设省长一人任期三年由中央任免之　122

修正文　省政府以省民直接选举之省务员七人至九人组织之任期三年在未能直接选举以前由省民会选举之　122

原第一〇六条
改第一二三条 **原　文** 县设县议会议员由县民大会选举之任期三年连选得连任　127

修正文 县设县民会由县民用直接秘密自由之方法选举代表组织之任期三年连选得连任　127

第一二四条 **增加文** 县民代表之名额由省宪法按县之等级规定之　127

第一二五条 **增加文** 县民会每年二月十五日自行集会一次会期一个月有必要时得由县民代表三分一以上之通知或县政府之牒集得开临时会　127

原第一〇七条
改第一二六条 **原　文** 县单行规章与中央法律或省规章抵触者无效　127

修　正 删除　127

第一二七条 **增加文** 县民会之职权如下（款文详宪法文内）　128

原第一〇八条
改第一二八条 **原　文** 县设县政府置县长一人由县民大会选举之任期三年连选得连任县长候选人以经中央考试或铨定合格者为限　128

修正文 县设县政府置县长一人由县民用直接选举方法选举二人呈请省政府择一任命之任期三年县长候选人以经中央考试或铨选合格者为限　128

原第一〇九条
改第一二九条 **原　文** 县长受省政府之指挥处理全县自治执行省行政及中央行政　129

第一三〇条　**增加文**　县长及其他自治人员有违法失职时经县议会四分二之议决得提出弹劾案呈请省政府罢免之　130

第一三一条　**增加文**　县长如因执行中央行政违背法令时国家得依法律之规定惩戒之　130

第一三二条　**增加文**　县民会之组织及县政府之组织依法律定之　130

第一三三条　**增加文**　县有财产及自治经费省政府不得处分之　130

第一三四条　**增加文**　县因天灾事变或自治经费不足时得请求省政府经省民会之议决由省库补助之　130

第三节　市　131

原第一一一条
改第一三五条　**原　文**　市之自治除本节规定外准用关于县之规定　131

原第一一二条
改第一三六条　**原　文**　市设市议会议员由市民大会选举之每年改选三分之一　131

修正文　市设市民会市民会代表由市民用直接秘密自由方法选举之每年改选三分之一　131

原第一一三条
改第一三七条　**原　文**　市设市政府置市长一人由市民大会选举之任期三年连选得连任市长候选人以经中央考试

而受影响　134

原第一一九条 改第一四三条　**原　文**　土地价值非因施以劳力资本而增加者应以征收土地增值税方法收归人民公共享受　134

原第一二〇条 改第一四四条　**原　文**　国家对于土地之分配整理以扶植自耕农及自行使用土地人为原则　135

原第一二一条 改第一四五条　**原　文**　国家对于私人之财富及私营事业认为有妨害国民生计之均衡发展时得依法律节制之　135

修正文　国家对于私人之财富及私营事业受法律之保护但因谋国民生计均衡之必要时得依法律节制之　135

原第一二二条 改第一四六条　**原　文**　国家对于国民生产事业及对外贸易应奖励指导及保护之　136

原第一二三条 改第一四七条　**原　文**　公用事业及其他独占之企业以国家公营为原则但因必要得特许国民私营之　136

国家对于前项特许之私营事业因国防上之紧急需要得临时管理之并得依法律收归国营但应予以适当之补偿　136

原第一二四条 改第一四八条　**原　文**　国家为改良劳工生活增进其生产技能及救济劳工失业应实施保护劳工政策妇女儿童从事

劳动者应按其年龄及身体状态施以特别之保护 *136*

修正文 国家为谋工业之发展改良劳工生活增进其生产技能及救济劳工失业应实施保护劳工政策妇女儿童从事劳动者应按其年龄及身体状态施以特别之保护 *136*

原第一二五条 改第一四九条 **原　文** 劳资双方应本协调互助原则发展生产事业 *137*

原第一二六条 改第一五〇条 **原　文** 国家为谋农业之发展及农民之福利应充裕农村经济改善农村生活并以科学方法提高农民耕作效能国家对于农产品之种类数量及分配得调节之 *137*

原第一二七条 改第一五一条 **原　文** 人民因服兵役工役或公务而致残废或死亡者国家应予以适当之救济或抚恤 *138*

原第一二八条 改第一五二条 **原　文** 老弱残废无力生活者国家应予以适当之救济 *138*

第一五三条 **增加文** 中央及地方应急谋实业之建设 *138*

私人经营之实业除第一百二十条规定外应保护并奖励之 *138*

第一五四条 **增加文** 中央及地方各设经济会议由农工商等团体及其他实业团体代表组织之 *138*

第一五五条　**增加文**　经济会议之职权如下　*139*

一　提出经济政策或社会政策法律案于立法机关

二　审核中央或地方政府提出立法机关之重大经济政策或社会政策之法律案

三　对中央或地方政府建议关于经济立法或行政事项

四　解决劳资之争议

五　答复中央或地方政府关于经济或社会事项之咨询

第一五六条　**增加文**　经济会议之组织及会员之推选以法律定之　*139*

原第一二九条
改第一五七条　**原　文**　下列各款事项在中央应经国民大会或立法院之议决其依法律得以省区或县市单行法规为之者应经各该法定机关之议决（款文从略）　*140*

原第一三〇条
改第一五八条　**原　文**　中华民国领域内一切货物应许自由流通非依法律不得禁阻　*141*

关税为中央税收应于货物出入国境时征收之以一次为限　*141*

各级政府不得于国内征收货物通过税　*141*

须设百分十之免费学额于贫民免收学费及其他教育上之必要费　148

原第一三六条 改第一六五条　**原　文**　国立大学及国立专科学校之设立应注重地区之需要以维持各地区人民享受高等教育之机会均等而促进全国文化之平衡发展　150

第一六六条　**增加文**　实施教育时道德之培养与其他目的并重　151

第一六七条　**增加文**　学校教育应保持其独立之精神学校教员之讲授除抵触刑法外应保障其自由　152

原第一三七条 改第一六八条　**原　文**　教育经费之最低限度在中央为其预算总额百分之十五在省区及县市为其预算总额百分之三十其依法律独立之教育基金并予以保障贫瘠省区之教育经费由国库补助之　154

原第一三八条 改第一六九条　**原　文**　国家对于下列事业及人民予以奖励或补助　154

一　国内私人经营之教育事业成绩优良者

二　侨居国外国民之教育事业

三　于学术技术有发明者

四　从事教育成绩优良久于其职者

五　学生学行俱优无力升学者

修　正　删除　159

原第一四五条改第一七六条　**原　文**　促成地方自治之程序以法律定之　159

原第一四六条改第一七七条　**原　文**　第一届国民大会之职权由制宪法之国民大会行使之　159

修正文　制定宪法之国民大会在未依宪法选举第一届国民大会集会以前代行国民大会之职权至第一届国民大会集会之日止　160

原第一四二条改第一七八条　**原　文**　宪法之解释由司法院为之　160

修正文　宪法之解释由宪法会议为之　160

第一七九条　**增加文**　宪法之修正由宪法会议行之　162

原第一四七条改第一八〇条　**原　文**　宪法非由国民大会全体代表四分一以上之提议四分三以上之出席及出席代表三分二以上之决议不得修改之　162

修正文　宪法非由国民大会全体代表五分一以上之连署提议三分二以上之出席及出席三分二以上之决议不得修改之　162

第二项　**原　文**　修改宪法之提议应由提议人于国民大会开会前一年公告之　163

修正文　修改宪法之提议应由提议人于国民大会开会前三个月公告之但临时有紧急需要修改时不在此例　163

附　载

有物有則

繼笙先生法學湛深曩在國會參
加憲法會議貢獻獨多議壇重之比
者本其學驗著憲法芻議一書於三
民主義五權憲法備致闡揚惟於立法
院憲草第一条似未免誤會則有待於
商榷也

弟張知本拜題

序　言

吾国制宪逾三十年、议宪者达千余辈、可谓勤矣久矣、而今尚有宪法刍议之作、宁非过举、然就实际言之、又有不尽然者、此不尽然即促我写此刍议之动机、惟动机可分为三种、

（一）宪法为一国之根本大法、良否为国与民族之兴亡所系、值兹新宪制定、凡属国民、见有一得悉宜尽量贡献、以供国人之研讨、与制宪者之参考、衡固庸愚、而于公法学、亦仅一知半解、惟吾国历次制宪、除袁段主政与此次立法院议宪未事参与外、其他如北平如广州靡不躬与其事、各问题之辩论、亦多为参与之一人、故学识虽浅、而领略殊深、今当新宪制定之日、对于宪法各问题、既认为尚有商榷之处、自难安于缄默、此其一、

（二）宪法为时代之产物、以适合国情与时势者写

良、前此所有宪法、其不适用于今日、固人共认、即五五宪草、亦以原案既未为尽善、重以年来内外情势丕变、反映于新宪法者、应大不同、前之认为尽善者、今或竟为不适、前之所不注意者、今或须认为重要、间尝从各点研究、其例不胜枚举、此不惟衡所感如此、即当日草宪诸公、亦当有此同感、五五草案既有修正必要、衡敢不凛国家兴亡匹夫有责之义、将管见所及、为国人及议宪诸公进一言、此其二、

（三）中华民国之宪法、适用于中华民国之全民、又凡属国民皆为平等、故宪法之内容、应以全民为对象、以平等为原则、五五宪草、虽亦曾注意及此、而以成于党治之立法院、草宪诸公、或以环境关系、对于宪法之主张、不无拘泥之处、而国人亦以种种关系、漠然置之、或知而不言、或言而不尽、或故留以有待于国民大会之修正、以此所定草案、有明知其不可而不能不为之者、有明知其必被国民大会修正而姑存之者、然草案知其不可为而故为之、知其必被修正而姑存之、事犹可也、若正案仍听其不可而存之、知其必修正而不予修正、则为害大矣、以纵能强事通过、一旦政权开放、各党树立、

始则为宪法上之争、继或为政权上之争、其弊有不忍言者、衡为此惧、爱本爱国与忠于所学之诚、及体谅草宪诸公之苦衷、不忖愚妄、冀将宪草中知其不可而为之、知其修正而必存之之各条、悉心研究、凡人所欲议而未议、所欲言而未言、或议有未畅、言有未尽者、尽情言之议之、以补草宪诸公之缺、夫宪法为公物、议宪为公论、无功罪可言、无嫌怨可指、只求心安、他无所谓、故纵或有偏激之处、亦当为国人及草宪诸公所共谅、此其三、

本此动机、远察世界之大势、近观国内之情状、并参考近年各国进步的宪法、窃以吾国今日之新宪应采之原则、有如下之各种、

（一）力求适合吾国国情、法无绝对的善恶、国复有不同之国情、法之良否、是否适合国情与时代为断、适合者为良法、否则否、我国今日之国情、至为复杂、满足需要、范围甚广、其性质有与此主义同者、复有与彼主义同者、当条文之订立应破除成见采取众长、对于各国之成宪、只求适与不适、不必问其主义之如何、民主主义固多可采、即新民主主义社会主义、与夫法西斯主义、亦未始绝不可采、质言之、法当求其适、主义可

不拘、既不可削足就履、复不可因噎废食、

（二）力求满足现代人民需要、一国之所以贵乎有宪法者、以其人民共同生活于此国家团体之中有此需要也、惟需要因时代不同、复因国情而各异、在第一次欧战以前、各国人民所需要者、大抵以保障人民权利、限制政府权力、及监督政府行政为最重、自第一次欧战结束后、世界情势丕变、人民所需要者、不以此而足、其他如经济、如教育、与夫全民政治之推进、是皆各新宪法所最注意、试观德意捷克巨哥斯拉夫等国之新宪法、可以概见、吾国今日之人民、对于宪法之需要、如保障人民权利、限制政府权力与夫监督政府行政、固为急切、而关于经济与教育之改进、亦极须有妥善之规定、如经济由保护个人之利益、转而为谋公共之利益、教育由有资产者之享受机会多、进而谋全民教育之普及、是皆为吾国今日人民之所需要者、前此约法宪法皆计不及此、今兹制宪、自应高瞻远瞩、对于民主主义之规定、固应注意其能实现、即对于经济与教育两项、亦应详加研究、妥了规定、以满足人民需要、否则宪法既不能满足全民之需要、人民非铤而走险、从事革命、即阳奉阴违、陷

宪法于虚设、与其补救于将来、毋宁注意于今日、

（三）力求适合现实、并顾及将来、宪法固以适合现实为要、其内容尤以能反映当时人民之需要者为优、人类社会为进步的、与社会关系最密切之政治、亦为进步的、自近者言之、由君主而民主、由专制而立宪、再由民主主义立宪、进而为社会主义立宪、不仅有可能、且亦势之顺者也、故新宪法之内容、一方面应求适合当时人民之需要、另一方面、又须顾及最近的将来社会之进步、如国民经济、国民教育、与夫全民民主之推行、类皆应注意共进步与发展、质言之、即记录当时人民需要之立法主义、与预备将来人民需要之立法主义、二者应并行之也、依以上原则、谨将管见所及、对于新宪之应规定、与夫宪草之应修正者、尽情言之、当否不敢知、功罪非所计、顾宪法范围至广、关系至繁、订立亦称极难、以云完善、虽千百人谋之犹虞不周、浅陋如衡、安敢以语此、今兹云云、亦刍荛之献、或亦为罪言、绳愆纠谬、是所望于海内之贤达、

民国三十四年五月下旬罗家衡序

王　序

罗先生因公住于沦陷的上海，深居简出，不为威逼利诱，在生活极端艰难中埋头写下了这本《中华民国宪法刍议》，作战后实行民主宪政的参考，这是我在介绍该书前对于著者要表示敬意的。

我认为讨论宪法问题，不仅要对于宪法学本身及各国政制有研究，并且最好有实际政治经验，参加过政治活动，然后能洞悉一切利弊得失，不致“闭门造车”。罗先生在我国制宪史上，除袁段主政与此次立法院议宪没有参与外，其他如北平，如广州，靡不躬与其事。以他这样一个与立宪运动有关的人，来讨论宪草，他所表示的意见，自然特别值得重视。

试拿“五五宪草”与宪法刍议来比较，我们不难发现有下列重要不同之点，而这些不同之点，正是后者比前者进步的地方。

（一）对于人民的权利义务，宪草系采法律保障主义，凡是宪法上所赋予人民的种种权利，在实施上还须另外制定法律加以限制。这不仅对民主的程度打了一个很大的折扣，并且与中山先生的遗教及国民党的政纲也有所未合。中山先生及国民党政纲都郑重宣示人民有集会、结社、言论、出版、居住、信仰的“绝对自由权”或“完全自由权”，而罗先生的修正，便为了这种“绝对自由权”或“完全自由权”，提供了进一步的意见，即大体上采取了宪法直接保障主义，并且在条文里面规定得很精细，例如保障人身自由，宪草第九条规定“人民有身体之自由，非依法律不得逮捕、拘禁、审问或处罚”；而刍议的修正文则为“人民有身体之自由，非因犯罪不得逮捕、拘禁、审问或处罚”；并加上“第二项：人民因犯罪或妨害公安嫌疑被捕拘禁者，其执行机关应即将拘禁理由及所犯刑法条文，告知本人及其亲属；并至迟于二十四小时内，移送于该管法院审问，本人或他人亦得声请该管法院于二十四小时内向执行机关提审，第三项：法院对于前项之声请，不得拒绝，并须即予办理，执行机关对于法院之提审，亦不得借故拒绝或迟留”。

（二）国民大会为国民行使主权的机关，宪草对它实际采的是紧缩政策，在组织与职权两方面都削弱了这个最重要的机构，使它可能变成名存实亡的东西。刍议则纠正了这个缺点，为民主增加了许多保障。主张扩大它的职权，将宪草所规定立法院关于人民行使政权的各种职权如宣战、媾和、预算、决算、大赦、戒严等权，划归国民大会；并主张所有五院院长均改由国民大会选举罢免，使它完成为代表人民全体行使政权的机构。开会则改为每年召集一次；每一会期改为两个月。临时大会的召集，将国民代表五分二以上之同意改为三分一以上；开会地点改为不规定；大会闭会期内主张设驻会委员会，以处理会务。

（三）宪草在中央政府的构造方面是采取总统制的，而刍议大体是主张责任内阁制的，理由分法理，行政性质，及保全总统尊严三方面，说明得很透彻。自法理方面言，五权宪法下的总统与三权宪法下的总统地位不同。三权下的总统，自身为三权中之一，地位为行政之首，故得掌握行政实权。五权下的总统，并非五权中之一，行政最高机关为行政院，负其责者为行政院院长，故总统不得兼掌行政实权；否则容易使五权变为一权，政府流于专制独裁。再就总统的荣誉言，总统乃一国元首，外须受友邦尊重，内须得人民信仰，绝不宜于动摇，若使总统兼掌实权，则随时可牵入政治漩涡，受人指摘，引起政变，动摇国本。因此凡与此有关的条文，刍议都一一加以修正。例如行政院院长副院长由总统任免，改为由国民大会选举；行政院各部部长，各委员会委员长，由总统于政务委员中任命，改为由行政院院长于政务委员中提请总统任命；行政院院长，政务委员，各部部长，各委员会委员长，各对总统负其责任，改为行政院院长副院长，对国民大会负其责任；政务委员，各部部长，各委员会委员长，对行政院院长负其责任；并增加一条“行政院院长决定大政方针”。

（四）宪草是主张集权的，而刍议是主张分权的。罗先生很有力的指出主张集权者的错误，在“误认集权为统一之要件，分权为分裂之张本，不知集权为一事，统一又为一事，分裂为一事，分权又为一事”。他很据我国幅员的辽阔，各地方风俗、习惯、文化、人力、物力、种种情形的复杂，省的历史渊源与现实关系，以及给予人民训练行使政权的机会，提出了分权的理由，他分权的总原则，还是依据中山先生的均权办法：“凡事务有全国一致之性质者，划为中央；有因时制宜之性质者，划为地方，遇有性质牵涉中央与地方两方面者，中央得授权与地方，由地方执行之；遇有性质牵涉省与县者，省得授权与县执行之。”

（五）宪草对于省的一级，规模缩得很小。刍议则认省须为刚性的自治团体，有其自治权。因此宪草以省参事会为民意机关，而刍议则以省民会为民意机关。省政府的组织，宪草采单一的省长制，省长由总统任命；刍议则采合议制：省务委员由省民会选举罢免，省主席由省务员互选。

（六）国民经济与教育两章，有人认为都是些原则，等于政党的政纲，主张全部删去。罗先生不仅反对删去，而且予以加强。他认为今日的宪法不仅须保障政治的民主，而且须保障社会的民主，故在经济章内对于工业及一般实业的奖励，与夫经济会议的设立，都有修正或增加。至于教育，他很痛心于今日之腐败状况，认为长此以往，足陷民族国家于万劫不复之地；而挽救的机会，制宪时不能轻轻的放过。他认为宪草对于教育一章的规定，第一过于简单，第二缺乏革命性，因此他提出了修正或增加了新的条文，以谋教育的普及，机会的均等，教学的自由，道德的培养。

总之，刍议虽是罗先生一个人的意见，实质上确比宪草合理得多，进步得多，民主得多。

王造时　民国三十五年八月十三日

再版自序

本书原为覆瓿之物，早贻蓝盘盖天之讥，首次付印，已嫌孟浪，今复再版，宁非荒谬，况际兹复员未竟，统一有待，以云国宪，贤达踌躇，民众漠然，纵有研讨必要，似亦非当务之急，是此书之再版，诚无何意义之可言。

惟念安邦之道虽不一而足，制宪终属首要，内争之起因虽夥，政制之争要为主因。宪法为确定一国政制之根本大法，倘定之而善，人民将以拥护宪法者拥护政府，内争因之而解，统一因之而成，固意中事。此亦笔者对于宪法与时局之一种特别观感。故今日言宪法，谓之为不合时宜可，谓其有利于解决时局亦可。重以政治协商会议五五宪草审议会所定之修改原则，优点固多，而待商榷之处亦非全无。笔者本言论自由之旨，难安缄默，又为促使笔者再版之一原因。

复次本书自首次付印以迄今日，时已逾年，所有主张，揆诸现时，亦无不合之处，只以制宪在通，重印匆促，不及加以修正，笔者深感不安，更应向读者诸君道歉。惟于卷末附载笔者读政协会五五宪草审议会修改原则书后一篇，略陈鄙见，借资本书一部分之修正，是否有当，大雅君子幸教正之。

罗家衡　三十五年九月

例　言

一　本书著述之旨、为抒写个人三十余年来对于中华民国宪法之意见、供国民大会代表诸君研讨中华民国宪法草案之参考并同时向国人之留心国宪者就正、

一　本书为立论有标准起见、以民国二十五年五月一日立法院通过五月五日国民政府宣布之中华民国宪法草案为对象、但讨论之范围、则凡吾国新宪所应规定者、皆多方取材、详加讨论、

一　本书虽以贡献我国一种完善宪法为目的、而取材则及于全世界四十余国之新旧宪法、与宪法国家政治等学说、故凡各种宪法条文、宪法理论、其可省者、固仅取其意、其不可缺者、则仍罗列之以供参考、如条文之修正或增删、关于其内容与用意、类皆加以释明或并举例以证明之、

一　五五宪草之编制、如章节条项等之划分、于宪法内容无甚关系、凡可迁就者、尽量迁就、不欲多事纷更、惟条文内容、为宪法精神所系、其应予变更者、多斟酌而变更之、故条文之变更、几及半数、增加较修正为多、修正较删除为多、总计增加者四十三、修正者三十五、删除者九、增加之章为一、

一　每章之首端缀以概论、节亦间或如之、用以阐明该章之大体、每条修正或增删、则皆附以理由、以明其意旨之所在、

一　本书为求主张一贯起见、对于条文之位置、恒不能与宪草一致、故修正时、间有将原文之位置、后先倒置、非好纷更、实非得已、幸阅者谅之、

一　本书全案详总目、至何者为宪草原文、何者为修正文、何者为增加文、与何者为删除文，悉于总目中分别注明、以便查考、

一　本书著稿所在地、对于宪法起草委员会会议录、及立法院所著之宪法草案意见摘要汇编、皆无由获得、关于宪法上各问题、应行商榷者、恐尚繁夥、果有必要、容俟异日、

一　本书虽早已成稿、嗣因内外情势改变、最近重加修正更改颇多、而制宪之国民大会、开会期迩、为赶于会前成书、时间匆促、所拟条文与理由、诸多未洽、良用深疚、海内贤达、幸赐教正、

中华民国宪法刍议

一名五五宪草修正案

前文　**原　文**　中华民国国民大会受全体国民付托遵照创立中华民国之孙先生遗教制兹宪法颁行全国

修正文　中华民国国民大会受全体国民付托遵照创立中华民国之孙先生三民主义之遗教制兹宪法颁行全国

理由　按各国宪法设置前文者、其例甚多、吾国宪法、设置前文、笔者亦甚赞同、于前文中增加三民主义四字者、以对于五五宪草第一条条文中之三民主义四字、主张删除（其理由详修正案第一条条文理由中）、特于此前文中增加三民主义四字、以示宪法应注重三民主义之精神、不必以三民主义四字列入主权条文之中、

第一章　总纲

第一条　　**原　文**　中华民国为三民主义共和国

修正文　中华民国为永远统一民主共和国

理由　于陈述此条修正理由之先、为免除误会触发感情起见、愿先有所声明者有二、

一、笔者于中山先生素所佩仰且恒亲教泽、国民党成立即为党员、且有相当历史、改组后虽未登记、然迄今日止、仍别无党籍、故此修正、完全出于个人自由意思、绝无别项作用、此其一、

二、以吾国今日之情势、以三民主义为宪法基础、笔者亦甚赞同、惟以三民主义四字列入于规定国体之条文中、殊认为不洽、今为求事实与立法通例两相符合、并使三民主义在宪法上得一适当之位置、免以位置不常

被人指摘、转使三民主义根本发生动摇起见、特于宪法前文中、加三民主义四字、又于本章第二条后、增加一条为第三条、文曰中华民国以三民主义为政制、其理由容于第三条理由栏内陈述、今将本条修正之理由、分两部分说明、

一、删除三民主义四字之部分　窃以国体（主权）与政体（政权）不同、与一党有时间性之主义更各异、国体所以规定主权之所在、政体所以规定政权之所在、若主义乃一时之政治方针、绝对不可与主权混为一谈、故世界各国之宪法、关于第一条之规定、大抵以主权之所在及与国本最有关者为限、即国体是也、其内容亦以述明主权之所在及最有关者而止、其他无论如何重要、悉以属诸别条、如民主则记以民主或独立民主、君主国则记君主、或立宪君主、总之其文义以表明主体及国本最关者为已足、故遍观各国宪法、于主权说明之上、而冠以主义者、除国情特殊之苏联外、别无其例、本条所规定为国体、即在规定主权之所在、吾国为民主国、又为共和国、所最需要者、为统一、故规定其为民主为共和、为永远统一、其条文应有之意义、已完满无缺其他如三

民主义、乃与主权不相关之一事杂入其间、不惟不足以增三民主义之重、且有与本草案第二条第十六条互相抵触之嫌、于立法通例、殊为不合、以采取三民主义为一事、应否以三民主义杂入此条中又为一事、质言之、为采取三民主义起见、可另立专条以资崇重、不必杂入此条而妨法例也、缘主义不可与主权混为一谈、三民主义可不问其如何优良、如何美备、因其非我国全体主权者之所在、即不必与主权合而为一、若谓苏联曾以社会主义列入主权之条文、则当知我国与苏联情形不同、苏联主权者之范围、与我国主权之范围有广狭之别、苏联主权所属者、限于社会主义之苏维埃、吾国主权所属者、不限于三民主义、而属于中华民国全体人民（草案第二条已有明白之规定）、又苏联系一党专政、仅社会主义者之党员得为主权者、吾国结社自由（草案第十六条有明文规定）、国民党之外、得另有党、非国民党之党员、亦得为主权者、详言之、即苏联之社会主义者、乃为主权者、故其规定主权之条文、可以社会主义冠于其上、吾国主权者、不仅为三民主义者、则未便以三民主义列于主权条文之中、若以三民主义立于主权条文之中、则三民主义以外之人民、大有不得为主权者之嫌、关于此点、十年来议者甚多、即草宪诸君、亦未必真见不及此、徒以环境关系、明知其不可而为之者耳、笔者以国家大法之制定、应以全民族为对象、建一议、立一论、务须衷于义理、合乎法例、宁受斧钺之诛、不作违心之论、或谓民国为国民党所创造、三民主义为国民党之党纲、三民主义与民国有联锁之关系、宪法为建设民国之大法、故第一条仅用民主共和国五字规定主权之所在、而不将三民主义四字列入、殊与宪法为革命产物之通例不符、为此说者、固有相当之理由、但革命的精神、与宪法的理论、全为两事、三民主义可为建国之方针、三民主义不必要列入主权规定之条文、英国革命时的宪法、以权利为基础、而所要求之权利、并不规定于主权条文中、法国革命时的宪法、以人权宣言为基础、而所主张之人权、亦不规定于主权条文中、其他如美国宪法、以独立自由为基础、而所取得之独立自由、亦不规定于主权条文中、是可知吾国之宪法、虽以三民主义为基础、而亦自可不以三民主义规定于主权条文中、倘强行列入、不仅于三民主义无所增重、且阻碍三民主义最后目的之实现、因

三民主义为一时之政策、非最后之目的、其目的不以三民主义为限、此关于修正三民主义四字部分之理由也、

次述增加永远统一四字之理由、尝考各国宪法通例、凡其国情所最需要之规定、除他项有抵触外、恒于首条中规定之以唤起国人之注意、吾国地广人众、情势复杂、最需要者为统一、最难得者亦为统一、而揆诸历史、则自秦以来、早已成为统一之局、其间二千余年、其为合者则强、否则弱、合则治、分则乱、历史昭示、在在可考、是我国之于统一、实为生存之必要条件、民国成立逾三十年、国之衰弱如故、原因虽夥、而未能一日真正统一、实为之主因、今后国势如何、能否成立为完全独立自主之现代国家、条件虽有种种、而统一则为条件中之最要者、能统一则万事可企、否则万般皆休、缘内乱不已、国力无由集中、即建设无由进行、建设无由进行、则贫弱日见加甚、外患且随之而益烈、情势如此、岂仅复兴无望、且难免于危亡、惟于本条主权规定之上、冠以永远统一四字、一以表示统一为立国之要件、二以表示破坏统一者、即违宪之叛国者、使弱者知所警惕、强者不敢尝试、万一有不逞之徒、不顾国本、甘冒天下之

大不韪、则破坏统一者、即为违宪者、违宪者即为叛国者、政府从而惩伐之、师出有名、名正言顺、凡属国民、必皆拥护、同兴问罪之师、以弭内乱之祸、况揆诸各国宪法之先例、类此规定者、不一而足、智利宪法第一条、上半段云、智利为统一国、罗马尼亚宪法第一条云、罗马尼亚皇国为统一完整之国家、又西班牙宪法第一条第二项云、本共和国为统一之国家、其他如其国情以独立为需要者、则往往冠以独立二字、如立陶宛、芬兰、爱斯多尼、及来多尼等国是也、于此可征、凡其国国情最需要之规定、恒于首条规定之、吾国国情以统一为最需要、故以永远统一四字列于宪法第一条、洵为适合必要之举、此关于第一条增加永远统一四字之理由也、

第二条 **原 文** 中华民国之主权属于国民全体

第三条 **增加文** 中华民国以三民主义为政制

理由 一国之政治、必有其政治之方针、其方针之当否、政治之得失随之、方针如何而当、则以其国情为断、民主主义可以兴国、法西斯主义亦可以兴国、国家社会主义可以致强、苏维埃主义亦可以致强、吾国今后之政治方针、应以何者为善、自今日观之、自以三民主

义为适、以法西斯主义、固不得谓之为适、即社会主义、亦不得尽谓之当、再进如无限制的资本主义、亦为吾国今日所当防止、故于第一条主张删除三民主义四字时、即声明并非反对三民主义、乃不赞成主权主义混合一处、而主张三民主义另立专条以符立法之义例、至以三民主义为政制者、则三民主义之推动、即政权之推动、皆以法律制度为依据、法律制度、即政制也、如实现民权主义、求民权之扩张与保障、实现民族主义、求民族之平等与解放、又如实现民生主义、求民生问题解决、是皆有待于政权之发动、见于制度、施于政治者也、因义定名、以此而以三民主义为政制、似非不当、

原第三条
改第四条 **原　文** 具有中华民国之国籍者为中华民国国民

原第四条
改第五条 **原　文** 中华民国领土为江苏浙江安徽江西湖南湖北四川西康河北山东山西河南陕西甘肃青海福建广东广西云南贵州辽宁吉林黑龙江热河察哈尔绥远宁夏新疆蒙古西藏

第二项　**原　文**　中华民国领土非经国民大会议决不得变更

修正文　中华民国领土不得变更

理由　所谓领土变更、原可从两方面观之、一方面为缩小、一方面为扩大、但宪法上所谓领土变更、大都以缩小方面之意为多、其意既在缩小、则不如径规定其不得变更、以表示领土为绝对不得缩小、则附条件之经国民大会议决之规定、大可不用、有此规定、一方面虽有限制之作用、他方面又留有变更之余地、不啻为外交军事失败时开一方便之门、殊有流弊、若谓变更不仅缩小、收回与扩大亦为变更、则可分别处理、对于收回或扩大之变更、可另以条文规定、以资补救、故拟于本项外增加一项为第三项、从事其他变更之补救、就各国宪法之关于领土变更、绝对规定其不可者、先例亦多、如多米尼加共和国宪法第三条云、本共和国之领土不得变更、又罗马尼亚宪法第二条云、罗马尼亚领土不得让与、伊剌克宪法第二条亦云领土不可分割、是皆明白规定领土不得变更、并不附带何项得以变更之条件、至遇有领土收回或扩大时、则以普通法律变更之以为补救、吾国为积弱之国、强邻逼处、采取各国此等立法之意、对于领土变更、采绝对不许主义、殊觉适合、此对于此项条文主张删除非经国民大会议决八字之理由也、

第三项　**增加文**　中华民国领土收回或扩大与省区变更或划分时以法律定之

理由　此项理由、可分二部分叙述（一）领土收回或扩大部分、（二）省区变更或划分部分、

先言领土收回或扩大部分、尝考各国宪法、关于领土之缩小与扩大、其规定有刚性柔性之不同、缩小方面、大都采刚性、扩大方面大都采柔性、缘丧失之变更、当然非所愿、取得之变更当然为所希望、不愿者无论如何悉欲使其在法律上不生效力、希望者则愿多方设法、使其在法律上有所依据、试观立陶宛之宪法第四条有云、领土扩大时以普通法律变更之、如遇缩小、则须国民大会决定之、其意殆与上述之理由、完全符合、吾国虽无侵略他国领土之野心、然国际变化令人难测、万一国势转强、亦未始无扩大希望、纵无扩大希望、收回前失、

则为意中事、故增设此项条文、使其与第一项第二项互相调剂表里为用、俾遇有领土收回或扩大时、无扞格之弊、而有伸缩之便、此领土收回或扩大以法律定之之理由也、次言省区变更或划分部分之理由、查各国宪法、关于地方如省或州之区域变更、多于宪法中规定以法律定之、其例举不胜举、吾国省区地域广大、人民众多、且大小不等、贫富悬殊、其关乎统一与政治改进者至大、民国以来、主张变更另行划分者、后先有人、持之有故、言之成理、笔者亦为其一、将来事实上或有必要、倘不于宪法上规定得法律上变更、则当实行变更时、万一有持反对之论者、及或以本条第二项相绳、则不免发生违宪或抵触宪法之争论、惟增加此项条文、明白规定省区变更或划分、定之以法律、则争执可免、流弊不生、此省区变更或划分应以法律定之之理由也、

原第五条
改第六条 **原　文** 中华民国各民族均为中华国族之构成份子一律平等

原第六条
改第七条 **原　文** 中华民国国旗定为红地左角上青天白日

原第七条
改第八条 **原　文** 中华民国国都定于南京

第二章　人民之权利义务

概论　关于此章之应如何规定、拟先将人民权利之原理原则先事叙述、尝考人民应有各种权利之由来、其理由颇为复杂、学说亦极纷纭、约言之、（一）以人民之权利由于天赋、出于自然、为完成人格所不可缺、国家应消极的予以保障、（二）以人民权利、由于发展个人优性所必需、以社会全体之赖乎人类分工之发展、个人优性之发展、始能促进社会分工之发展、国家应积极的予以保障、前说固成理由、后说尤足促社会之进化、故自美国独立宣言、继以法国人权宣言以来、民权之保障日盛一日、除法国一八七五年及德国一八七一年宪法、未将人权规定外、凡立宪国家、宪法虽各不同、而必规定人民之权利则一、惟规定同、而保障其实现之程度则有强弱之殊、有采法律保障主义者、有采宪法直接保障主义者、采法律保障主义者、为宪法上虽已赋予人民以某种权利、而另得制定法律以限制之、大抵君主及法西斯主义之国、多采此主义、如日本及昔日之德意等国是也、采宪法直接保障主义者、为宪法上已规定关于人民之某种权利、立法机关不得另制法律以限制之、大抵民主及社会主义国、多采此主义、如美国及苏联是也、以云是非得失、则法律保障之弊多、宪法直接保障之弊少、吾国为民主国、应采何种主义、在今日制定宪法之日、急待决定、中山先生于国民党宣言中、曾云确定人民有集会结社言论出版居住信仰之绝对自由权、又在国民党政纲中、亦云确定人民集会结社言论出版居住信仰之完全自由权、所谓绝对、所谓完全者、即为宪法采直接保障主义之标准、因法律保障主义、决无绝对完全之可言、他如张知本氏、为我国自由宪法论者、其所拟宪草、亦系采宪法直接保障主义、此外如韩幽桐氏在其所执笔五五宪草人民权利义务章、亦极言法律保障主义之不当、此外国人对于宪章采法律保障主义加以抨击者、指不胜屈、是法律保障主义之不适用、殆已成为舆论、兹据世界今日之潮流、与吾国今日之情实、窃以吾国宪法、关于人民权利之规定、虽不能全采宪法直接保障主义、亦不能全采法律保障主义、即一部分应采直接保障主义、一部分可采法律保障主义、宪草所采者、为完全法律保障主义、自应分别予以修正、谨参酌国人宪法论著、及民主主义社会主义国家之宪法、拟订条文如下、

原第八条
改第九条　**原　文**　中华民国人民在法律上一律平等

原第九条
改第十条　**原　文**　人民有身体之自由非依法律不得逮捕拘禁审问或处罚

修正文　人民有身体之自由非因犯罪不得逮捕拘禁审问或处罚

第二项　人民因犯罪或妨害公安嫌疑被捕拘禁者其执行机关应即将拘禁理由及所犯刑法条文告知本人及其亲属并至迟于二十四小时内移送于该管法院审问本人或他人亦得声请该管法院于二十四小时内向执行机关提审

第三项　法院对于前项之声请不得拒绝并须即予办理执行机关对于法院之提审亦不得借故拒绝或迟留

理由　剥夺或限制人民身体自由权、（一）必有其确定之条件、（二）必有确定之执行机关、否则此种权利之保障、殆难实现、今规定逮捕拘禁审问处罚、必以犯罪为条件、所谓犯罪者、当以违犯普通刑事法典为范围、凡非此即不得为之、以示限制、而免妄滥、犯罪既以普通刑法为范围、则执行机关、亦自以法院为限、

原第十条
改第十一条　**原　文**　人民除现役军人外不受军事裁判

理由　军事裁判、裁判现役军人之犯罪、其非现役军人则不受其裁判、其理其义、至为明显、而所以规定之者、以军事机关、往往借口一切、违法越权、逮捕人民、拘禁审问、或竟处罚、故立此条明示禁止、于保障民权不为无裨、

原第十一条
改第十二条　**原　文**　人民有居住之自由其居住所非依法律不得侵入搜索或封锁

修正文　人民有居住之自由其居住所官吏非依法令及合法程序不得搜查搜查后应给予被搜查人以相当之表证若在夜间非经室内人之紧急请求警察不得侵入

理由　居住指生活根据地之长久居住之处、及暂时旅舍而言、所谓不受侵犯者、即非依法不得侵入搜查、屯驻、封锁、及携去文件器物、欲达此目的、必对于国家官吏之侵入人民住所、在宪法上设立详明条件与种种程序、方足以资保障、否则殊难生效、以吾国官吏、法律观念薄弱、训政时期约法第十一条、明明规定人民之住所、非依法律不得侵入搜索或封锁、而近年人民亦多不知居住自由为何物、人民之居住如何、言之痛心、原文仅云非依法律不得侵入搜索或封锁、而在居住自由之保障、殊无效果之可言、用节取法国革命后及巨哥斯拉夫宪法、对于此项自由保障之规定、设立条件与程序、拟订条文如修正文、

原第十二条
改第十三条　**原　文**　人民有迁徙之自由非依法律不得限制之

此条依照原文以吾国非联邦国、迁徙原为自由、纵有限制必要、随时制定法律、足以补救、

原第十三条
改第十四条　**原　文**　人民有言论著作出版之自由非依法律不得限制之

修正文　人民有言论著作出版之自由除抵触刑法外不得限制或停止

理由　一国人民之言论著作出版、与一国之政治经济文化有密切之关系、其自由与否、政治经济文化之盛衰随之、惟自由有时非完全的、非绝对的、即不可不有自由、亦有时又非可完全自由、不有自由、于一切进化有碍、完全自由、又或于社会善良风俗有妨、如何斟酌尽善、设以相当之限制、此各国宪法上之大问题、亦我国今日制宪时之大问题也、考各国之先例、规定此种自由、国各不同、民主主义、法西斯主义、及社会主义、以其国家之组织根本不同、其各不相同无论矣、即同为民主主义之国、亦莫不各异、惟其大要、可概括之为二、一预防制（即警察制）、一追诉制（即法治制）、预防制者、言论著作出版之前、设种种限制、预为防止其犯罪是也、追诉制者、言论著作出版后、发现其犯罪而始追诉其犯罪是也、二者谁善、自无绝对的可言、应以国情为断、吾国国情、亦渐复杂、党与党、阶级与阶级、集团与集团之间其利益势不免有所冲突、政府之一方面、势必利用其权力依据预防制、妨害其他各方之自由、故仅以普通法律保障此三者之自由、必归无效、必采追诉制、使人民对于言论著作出版等等得宪法上之保障除触犯刑法外、皆得自由发挥

其意见、此等自由、始得实现、此本条修正之理由也、

原第十四条 改第十五条 **原　文**　人民有秘密通讯之自由非依法律不得限制之

修正文　人民有秘密通讯之自由除在刑事侦察及军队动员或军事期间外私人一切通讯电报电话交通之权不得侵害

理由　书信秘密虽应有范围、但在范围之内、应得自由、原案仅以法律为保障、殊嫌空洞而宽泛、今采巨哥斯拉夫宪法第十七条之规定而修正之、

原第十五条 改第十六条 **原　文**　人民有信仰宗教之自由非依法律不得限制之

原第十六条 改第十七条 **原　文**　人民有集会结社之自由非依法律不得限制之

修正文　人民有集会结社之自由不须报告官署或特别许可但集会时不得携带武器或扰乱社会秩序结社不得以犯罪为目的违者得禁止或解散之

理由　集会结社、有政治的、有非政治的、除非政治的不致论外、人类为政治的动物、集会结社、为其天性、若立宪国之人民、为行使其政权、尤为不可少之行为、惟非绝对无流弊、故不能毫无限制、限制之当否、国家之盛衰随之、缘限制而失于严、则此种自由之效用亦将因之而灭、故此种自由、虽不能不有限制、然限制之如何使其不发生流弊、是为至要、各国宪法关于此种条文之规定、其方式亦至为不一、有采特别法律制定之者、有采仅于宪法上规定一种条件限制之者、前者为日本等少数国所采取、后者为美国及德国新宪法所采取、美国宪法修正案第一条规定、不许国会制定剥夺人民和平集会权利之法律、德国人民不必报告官署及得特许、有和平及无武器集会之权、关于结社、德国宪法第一百十四条、亦有保障的规定、即德国人民其目的若不违背刑法、有组织社团及法团之权、此项权利、不得以预防方法限制之、我国今日民气消沉、民权衰落、集会结社、除国民党外几乎无闻、今关于此等自由、若不采严格的保障制、政治绝无改进之机、国亦无由兴盛、故采取美德立法之意、而本张知本氏之宪草条文而修正之、

原第十七条
改第十八条　**原　文**　人民之财产非依法律不得征用征收查封或没收

原第十八条
改第十九条　**原　文**　人民有依法律请愿及诉愿之权

原第十九条
改第二十条　**原　文**　人民有依法律选举罢免创制复决之权

原第二十条
改第二十一条　**原　文**　人民有依法律应考试之权

第二十二条　**增加文**　人民有受教育及从事劳动之权

理由　人类之平等自由、实现于知识与职业、争取平等自由者、应先争取知识与职业、知识无、职业无、自由平等、无论法律如何规定、终无由取得、故国家果欲为人民谋平等谋自由、如吾国今日欲三民主义之实现、对于人民之受适当教育、与从事劳动、实应视为急务、否则一切完善之制度具文而已、关于受教育权、宪章虽有所规定、但此种权利、应认为人民之一种基本权利、特规定于本章、以示郑重、

原第二十一条
改第二十三条　**原　文**　人民有依法律纳税之义务

原第二十二条
改第二十四条　**原　文**　人民有依法律服兵役及工役之义务

原第二十三条
改第三十五条 **原　文** 人民有依法律服公务之义务

原第二十四条
改第三十六条 **原　文** 凡人民之其他自由及权利不妨害社会秩序公共利益者均受宪法之保障非依法律不得限制之

原第二十五条
改第三十七条 **原　文** 凡限制人民自由或权利之法律以保障国家安全避免紧急危难维持社会秩序或增进公共利益所必要者为限

原第二十六条
改第三十八条 **原　文** 凡公务员违法侵害人民之自由或权利除依法惩戒外应负刑事及民事责任被害人民就其所受损害并得依法向国家请求赔偿

第三章　国民大会

概论　国民大会之机关、在历史上惟立宪国家当其宪法未制定以前、人民为制定宪法、确定国本、恒有此设立、以为一时之民意机关、充制定宪法之用、宪法一经制定、即行消灭、宪法上之民意机关、大都称之为国会、故古今各国、宪法上从无国民大会之一机关、吾国宪草之有国民大会机关、在世界实属创举、无可比拟、溯其由来、则以吾国决定实行直接民权主义、与采五权分立制度、非有此机关、不足以资政权之运用、及治权之统驭、张友渔氏论国民大会、谓"所谓国民大会这个机关、在实现国民党之民权主义上、占极重要的地位、含极重大的意义"、殆亦有见于此、惟国民大会一机关、于吾国宪法上固有必要、而其性质如何、组织如何、职权如何、及其任期如何、俱成问题、且极重要、前无成规可效、亦无定说可守、苏联之苏维埃大会、虽不无类似、然国情不同、不足以资仿效、故今日制宪者、对于以上各点、务宜悉心研究、详加讨论、以臻于善、所得之结果如何、国家之兴亡所关、宪草关于国民大会之各种规定、未能谓为尽善、既有缺漏、复有不适、留心宪法者纷纷评论、在情在势、俱非大加修正不可、谨博采舆论、参加己意、将此章各条分别修正如下、

第二十九条　**增加文**　国民大会为代表人民全体行使政权之机关

理由　凡一机关之设立、必有其一机关之效用、欲确定其机关之效用、必先确定其机关之性质、未有其性质不定而能确定效用者也、吾国宪法上之所谓国民大会、如前文所述、在世界为创举、既非国会、复非总投票其效用重大而复杂、一部分有若立宪国之国会、一部分复类联邦国家最高行政委员会、即一面代表人民全体行使政权、其他一面又类似中央政府行使最高统治权、其效用如此、其性质可依此而定、斟酌再四、似以定为"中华民国国民大会为代表人民全体行使政权之机关"为是、

原第二十七条
改第三十条　**原　文**　国民大会以下列国民代表组织之

一　每县市及其同等区域各选出代表一人但其人口逾三十万者每增加五十万人增选代表一人县市同等区域以法律定之

二　蒙古西藏选出代表其名额以法律定之

三　侨居国外之国民选出代表其名额以法律定之

原第二十八条
改第三十一条　**原　文**　国民代表之选举以普通平等直接无记名投票之方法行之

原第二十九条
改第三十二条　**原　文**　中华民国国民年满二十岁者有依法律选举代表权年满二十五岁者有依法律被选举代表权

原第三十条
改第三十三条　**原　文**　国民代表任期六年国民代表违法失职时原选举区得依法律罢免之

修正文　国民代表任期四年国民代表

有违法失职时由原选举区依
法律罢免之

理由　国民代表、任期之长短、原有研究之价值、各立宪国国会议员、关于任期之长短、学说纷纭、主张不一、惟不可过长、亦不宜过短、过短则选举频繁、一国之人力物力皆受影响、过长则社会为进步的、前此数年之代表、未必能代表今日之民意、国民代表、虽与国会代议士不同、而性质则大致类似、故其任期、亦不能过短或过长、本条原文国民代表任期为六年、殊嫌过长、应仿多数国国会议员任期之成规、改为四年、以免长短失度之弊、故修正将六年改为四年、

第三十四条　**增加文**　国民代表不得兼任中央所
属文武官吏

理由　国民大会、有选举罢免创制复决之四大权、有选举罢免之权、即对中央官吏有进退之权、有创制复决之权、即对中央法制有制定之权、如是国民大会之代表与中央官吏之关系如何密切、可以想见、倘代表得兼中央官吏、就用人方面任免可自为之、就行政方面、法制可自定之、再进而利用地位、攫取权利、双方操纵、

便利自身、其弊殆有不可胜言者、各立宪国国会议员、不得兼官吏、大抵视为通例、如阿根廷宪法第九十条云、部长非先辞去本职不得当选为参议员或众议员、法国单独条文规定议员不得兼官吏、又土耳其宪法第二十六条规定国会议员不得兼政府官吏、我国之国民大会、与中央机关关系之密切、视各国国会与其政府为甚、我国之国民大会代表之权力、视各国国会之议员为大、其不得兼任中央官吏、更有必要、

原第三十一条
改第三十五条 **原　文** 国民大会每三年由总统召集一次会期一月必要时得延长一月国民大会经五分二以上代表之同意得自行召集临时国民大会总统得召集临时国民大会国民大会之开会地点在中央政府所在地

修正文 国民大会每年由国民大会委员会召集一次会期七月一日起为二个月但得延长一月大总统或国民大会代表三分一

以上之同意得召集临时国民大会

理由 此条对原文之修正有四、（一）三年召集一次、改为每年召集一次、（二）会期一月、改为二月、并确定开会日期为七月一日起、（三）召集临时国民大会、国民代表五分一以上之同意、改为三分一以上之同意、（四）开会地点规定为中央政府所在地、今则不予规定、其理由分述如下、（一）召集方式、国民大会之召集、与各国国会之召集、名虽异而性质实同、各国国会集会之方式、除君主国外、大都以自行召集为原则、如苏联之最高会议、则由最高会议主席团召集、吾国为行使直接民主制之国家、国民大会、又为主权之行使者、或政权之发动者、其召集自以出于自动、不经总统为当、张知本氏主张由国民大会执行委员会召集、其大体极妥、惟委员会之名称、张氏主张执行委员会、笔者所主张者为委员会、故今修正为由国民大会委员会召集、此其一、（二）会期、国民大会、已如前述、一方为人民全体行使政权之机关、他方又为制驭治权之最高机关、既有选举罢免权、复有创制复决权、其权最高、其任最繁、凡国家一切措施、俱赖其发动、故集会不可不勤、会期且不能过短、非不知集会多、会期长、于人力物力两有关碍、然得失利害、当权轻重、国民大会之职责能否完成、其利害得失之大、未有逾于此者、宪草规定、每三年召集一次、会期一月、不惟不敢赞同、且极骇异、缘就国民大会之职权观之、是明知国事每年待国民大会处理者至多、何以以三年为期、又明知国民大会每次会议待议之事件甚夥、即二三月犹恐不能臧事、何以以一月为期、其欲仅存其名、而遗其实耶、抑明知其不可而故为之耶、真有百思不得其解者、兹依国民大会之职权及各国类似我国民大会之国会会期、将三年召集一次、改为每年召集一次、每次会期一月、改为每次会期二月、骤视之似为时颇久、实则仍感不足、因每当集会时、为待足法定人数、及完成会内机构、如组织审查会等等、所费时日、每次必在十余日、实行议事、不过月余、以月余处理会务绝无余暇、此其二、(三)临时会议、宪草规定五分二以上代表同意得自行召集、亦嫌数额过高、代表总数若为二千人、五分之二为八百人、事实上殊难实现、此种规定、势必至成为具文、今改为三分之一以上、成会比较容易、俾国民大会得尽圆满之职责、此其三、（四）开会地点不予规定之理由、以国民大会为国本所关之机关、平时与非常皆属重要、时当承平、政治得上轨道、则自以中央政府所在地为便、惟内外情势变化不一其端、万一有外患或内乱发生、政府所在地因种种障碍、不便于集会、彼时不集会不可、要集会不能、变更地点、则与宪法抵触、不变更地点则无以应付事变、情势陷于两难、惟不规定地点、俾有伸缩余地、比较确定一处者为当、此其四、上述各项理由、按以国情、似尚符合、

第三十六条　**增加文**　国民大会设国民大会委员会由国民代表互选五十一人组织之于国民大会闭会期间依法行使国民大会赋予之职权

关于下列各权委员会不得代行

一　选任或罢免大总统及五院院长

二　复决预算及决算

三　复决宣战媾和

四　修正宪法

理由　增加此条一二两项之理由、分第一项第二项言之、先言第一项、国民大会、任务之繁重、已如前述、宪草规定其集会每三年一次、会期仅一月、是其闭会期间至久、其应组织一委员会处理会务、固无待论、即如笔者所修正、每年集会一次、会期二月言之、每年闭会期间亦在十个月之多、此十个月中、政府与人民有待于国民大会处理之事件、不知其数、（一）如不及待国民大会开会处理之紧急事件、（二）如非必须国民大会自身处理的例行事件、（三）如监督政府审查政府报告、及建议政府、质问政府及其他事件、倘无一委员会常设于会内、许其于法律许可范围内、随时处理一切事务、则贻误必多、影响于政府与人民者甚大、宪草对会内无组织何种委员会之规定、国人訾议之者甚多、笔者亦认为有设立一种委员会之必要、以云世界各国之先例、在国会闭会及满任之时、设常任委员会者、如德宪第三十五条第二项、及奥宪第五十四条所规定者皆是、他如我国国民参政会、为一时特殊的组织、然其组织条例、亦有设立国民参政会驻会委员会之规定、是以征国民大会有设立委员会之必要、惟委员会虽当设立、而其名称颇费研究、主张为国民大会执行会者张知本氏是、主张称为国民委员会者、宪草初稿是、主张为国民大会委员会者、宪法审查修正案是、赞成此主张者、复有张友渔氏、究以何者为当、原各有其理由、自笔者观之、比较的以国民大会委员会为当、以执行委员会其任务有若限于处理前已决定之事件、有过狭之嫌、国民委员会、以无代表大会意思表示于其间、又有其任务不知何所指、过于广泛之弊、惟称为国民大会委员会、既可表明其委员会属于国民代表大会、又可表明其任务属于国民大会中之一部分、故定为如增加文之所谓、此关于增加本条第一项之理由也、

次言第二项之理由、国民大会、与国民大会委员会、性质虽同、而权限则异、国民大会之职权、有可予委员会处理者、有不得予委员会代行者、倘不规定何者为可处理、何者为不可处理、既有少数操纵多数之嫌、复有处理轻率之弊、其流弊亦至足虑、今设第二项、采举列方法、将委员会不得代大会行之各事件、

逐一列举、以示范围、而杜流弊、此关于本条设立第二项之理由也、

原第三十二条
改第三十七条 **原　文**　国民大会之职权如下

一　选举总统副总统立法院长副院长监察院长副院长立法委员监察委员

二　罢免总统副总统立法司法考试监察各院院长副院长立法委员监察委员

三　创制法律

四　复决法律

五　修正宪法

六　宪法赋予之其他职权

修正文

一　选举总统副总统行政立法司法考试监察各院院长副院长立法委员监察委员

二　罢免总统副总统行政立

法司法考试监察各院院长副
院长立法委员监察委员

三　创制法律

四　复决法律

五　宣战媾和

六　大赦戒严

七　缔结条约

八　预算决算

九　发行公债

十　增加租税

十一　修改宪法

十二　宪法赋予之其他职权

理由　国民大会之职权、应如何规定、各次宪草不同、国人主张亦不一、窃以研究此问题从而决定其范围、应注意下列三点、（一）国民大会为人民全体行使政权之机关、（二）国民大会为中央政府行使治权之指导监督及取决一切事件之最高机关、（三）凡君主国属于君主、民主国不应属于大总统之各项特权、与立宪国属于国会一般之职权、皆应属之、以此而论、凡性质属于政权、及职权与政权有关之事件、皆应由此机关处理、宪草所规定之职权、虽较前此之各草案扩大、然不免仍嫌不足、其不足之点可分为二、

（一）议决权方面、

（二）选举罢免权方面、

议决方面、如须增加议决宣战媾和及其他等等是、选举罢免权方面、如须增加选举罢免行政司法考试三院院长等是、请先言议决权之增加、查草案国民大会之职权、除列举之选举罢免创制复决修改宪法及宪法赋予之其他职权（其他职权指变更领土）外、别无议决权、窃以此外关于人民权利义务之所在、如宣战、媾和、大赦、戒严、缔结条约、预算、决算、发行公债、增加租税、皆应为与变更领土等同一重视、一律增加由国民大会议决、其理由可分两部分言之、（一）一部分凡不属于大总统者、当然属于国民大会、其理由为我国为直接行使民权之国家、大总统之职权、应为列举的、其余未经列举者、皆应属诸国民大会、（二）一部分应属于国会不应属于立法院者亦当然属于国民大会、其理由我国之立

法院、与国会不同、立法院仅有立法之效用、并非人民之代表机关、其职权应以立法为限、凡国会职权中立法以外之事件、悉应归诸国民大会、此理甚为明显此增加议决权方面之理由也、

次言增加选举权方面之理由、吾国之宪法为五权宪法、即行政、立法、司法、考试、监察、五权、皆各分立、各自直接对国民大会负责、宪草在国民大会职权中、关于各院长选举罢免、仅规定立法监察两方面、其余如行政、司法、考试各院长、皆未列入、殊与五权宪法之精神不偶、故主张在本条一二两项中、增加行政司法考试三院长之选举与罢免、其理如下、

（甲）增加行政院长选举罢免之理由、叙述此项理由之前、有与此相关联之一问题、应作为前提先行决定者、即吾国之总统、应仅居元首之位、不负最高行政之责、此项先决是否成立、应先问我国中央行政机关、采单一总统制抑采五权独立制、如采单一总统制、则行政院长应对总统负责、其任免自应由总统、反之如为五权独立制、则行政院院长应直接对国民代表大会负责、其任免自应由国民大会、新宪既遵中山先生之遗教、采五

院独立之制、各院各自对国民大会负责、是明明表示中央行政机关采五权独立制、不采单一总统制、既采五权独立制、则行政院院长、不由总统任免、应由国民大会选举罢免、毫无疑义、以吾国总统在五权原则之下、实处于虚君地位、行政院长应由国民大会选举罢免也、且此点关系至巨、爰不嫌词费、谨将其理由、分法理、行政性质、与保全总统尊荣三方面言之、

（一）自法理方面言、五权制之宪法、与三权制之宪法根本不同、从而五权宪法下之总统地位与三权宪法下之总统地位亦不同、三权下之总统、自身为三权中之一、地位为行政之首、故得掌行政之实权、五权宪法下之总统、并非五权中之一、行政最高机关为行政院、负其责者为行政院院长、故总统不得兼掌行政实权、详言之、三权宪法之国家、总统在三权之中、与立法司法并立、行政元首当然为总统、五权宪法之国家、总统在五权之外、其与司法立法考试监察四权并立者为行政、与四权并立者、既为行政、则行政院长、当然与其他院长同一地位、同时对国民大会负责、势无再由五权外之总统、代为负责之理、如其有之、则五院之中、应将行政

院删除、并行政院长取消、或增加总统院、而与立法司法监察考试四院合之为五院、试问如是组织、于法于理、有无当处、此从法理方面言、总统不能负行政实责之理由也、

（二）从行政性质方面言、行政性质方面之理由、又可分为三种、

（子）欲三民主义之能实现、必须五权不变为一权、及使政府不流于专制独裁、欲五权不变为一权、政府不流于专制独裁、则行政权应由行政院长负责、不由总统兼掌、何言之、吾国君主专制逾二千年、现虽改为共和、而专制之余毒犹充满于社会、不惟人民不知法之可贵、即政府亦不知法之当守、有人治而无法治、政治则侧重行政、其他治权、皆类附属、故行政之元首、倘兼握最高实权、流于专制独裁、殆有必然、非国人天性不适于共和、实我国数千年之积习、在一二十年内尚不能不预为之防也、此其一、

（丑）总统职权与行政院长职权各不相同、职权不同、则人选亦不能不异、宜于总统者、或不宜于行政院院长、宜于行政院院长者、又或不宜于总统、此在骤闻

之、必以为异、细思之则必以为是、缘总统尚德望、行政院长则尚才能、才德兼备、固非无其人、然可遇而不可期、向使总统兼行使行政院长之职权、万一德望足而才能不足、即以之任不负责之总统则无妨、以之兼任行政院长之职则不胜、宁非贻误国事耶、此其二、

（寅）我国情况复杂、无论何人负最高行政之责、无不感措施之难、故政治上之过失、势所不免、一旦政治责任发生、如负其责者为总统、政局即发生问题、因罢免总统、宪法虽有规定、而实行则极感困难、若竟以困难而不问、则为事实所不许、果依法弹劾、则情势严重、又难免不引起政变、宽严两难、势成僵局、其影响所及、不堪设想、惟行政责任、由行政院长负担、纵行政方面发生任何责任问题、行政院长或自行引退、或依法使之去职、在在可能、轻而易举、非若罢免总统、影响之大纠纷之多也、质言之、课总统之责难、课行政院长之责易、行政方面课责易、国家之政治始有澄清之可言、此其三、

（三）从保全总统之荣誉方面言、总统一职、与其认为统制国事所必需、毋宁认为代表国家所宜设、若此

意不谬、则国人对于总统之选举、应以功勋彪炳、德望特殊者为对象、以选举之目的、在国家为争体面、在总统自身、为因功食报、国人对之以维护其尊严与荣誉为要务、所有法律及政治上之责任皆应使之避免、以免国会攻击而损其尊严、有违崇德报功之旨、吾国政治措置特难、当其冲者、难免不受国人之指摘、因政治上权利之所在、即争之所在、故权在行政院、则争行政院、权在总统、则争总统、然总统乃一国之元首、外须受友邦敬重、内须得人民信仰、绝不宜于动摇、若使总统兼行政实权、是位总统于危难之地、处总统于困苦之境、揆诸崇德报功之初意、实相背驰、为私为公、俱非应尔、惟总统仅居元首之位、不负行政之责、则总统自总统、受指摘者为受指摘者、斯于事为当、此其三、

或谓今日各国政治之趋势、类多集中行政权、以求行政效率之增加、若地广人众形势涣散、复以内忧外患纷来交乘之我国、尤非予总统以行政实权不为功、不知政权应否集中为一事、总统应否掌握行政实权又为一事、二者不可并论、质言之、行政权纵有集中必要、亦必非须集中于总统、即集中于行政院、而由行政院院长与各

部部长连带负责、亦未始不足收集中之效、况集权在今日之我国是否相宜、尚为问题、即无问题、亦与总统之负行政实责与否无关、此留心国宪对于政制稍事研究者所共认者也、以上为行政责任应由行政院院长负之之理由、亦即行政院院长应由国民大会选举罢免之理由也、

（乙）增加司法院院长考试院院长选举罢免之理由、先言司法院院长、司法性质、以独立为宜、此在三权宪法之国家、早有定论、若论五权宪法之我国、更应采此原则、美国与阿根廷原为总统负行政责任之国、而美国宪法第二条第二项规定总统任命最高法院推事、须经参议院之同意、阿根廷宪法第八十六条第五项规定总统任命最高法院及其他初级联邦法院之法官、须咨请参议院之同意、其他如墨西哥宪法第九十六条规定总统推荐司法官、经参议院同意任命之、爱斯多尼宪法第六十九条、则规定司法官迳由国会选任、是我国之司法院院长应由国民大会选举罢免、不应由总统任免、可以推知、次言考试院院长、考试院为我国首创之机关、世无其选举或任命之先例、惟考试既另成一权、自有其独立之意旨存乎其间、用意既在独立、且与行政司法可谓事同一律、

其院长不必由总统任免而由国民大会选举罢免、可谓至当、此司法考试两院院长应由国民大会选举罢免之理由也、

依以上各种理由修正各点之有必要洞若观火倘为议宪诸公所留意、国家幸甚、

原第三十三条 改第三十八条	**原　文**	国民代表在会议时所为之言论及表决对外不负责任
原第三十四条 改第三十九条	**原　文**	国民代表除现行犯外在会期中非经国民大会许可不得逮捕或拘禁
原第三十五条 改第四十条	**原　文**	国民大会之组织国民代表之选举罢免及国民大会行使职权之程序以法律定之

第四章　增加文　中央与地方之权限

概论　中央与地方之权限应否划分、议论纷纭、莫衷一是、自天坛宪法起草以迄立法院宪草议决、仍无有定论、因其与单一集权制及联邦分权制有连带关系、采单一集权制之国家、大抵不予划分、采分权制之国家、大抵皆事划分、吾国非联邦国家、然以国情特殊、在事实上又有划分之必要、是以争议丛生、据建国大纲第十七条之规定、则采均权制、凡事务有全国一致之性质者、划归中央、有因时制宜之性质者、划归地方、立法院草宪、对此问题、亦极尽研究之能事、各次草案、对于此项规定、忽隐忽见、宪会初稿则有中央与地方权限章之设置、而至审会稿、则又被删除、其争论之烈、可以想见、惟一国之事务至繁且重、且性质与范围亦有大小繁简之不同、惟依其性质与范围、分由中央或地方处理、庶无弛废凌乱之弊、而有事半功倍之利、宪草竟无此项规定、国人引为诟病、笔者亦同有此感、惟应否划分为一事、应如何划分又为一事、自各国之先例观之、同一划分、而其方式至为不同、有中央采列举的、地方采概括的者、如美澳德奥等国是、又有地方采列举的、中央采概括者、如南菲是、再中央地方皆采列举的、其未列举者悉属诸中央、则有加拿大、其他如西班牙之权限、则有列举为特有者、有列举属中央而中央得授权与地方处理者、是皆其证例、吾国中央与地方之权限、应如何划分、原亦大费酌量、建国大纲所谓全国一致、与因地制宜之性质、固不失为划分之一标准、顾事务至繁、遽认定何者为全国一致、何者为因地制宜、仍感困难、然不能以其困难而不划分之、笔者第一主张权限须划分、第二主张中央与地方共采列举的、第三主张其性质与中央地方均有关系者、得由中央立法执行或委托省执行、其性质牵涉省与县者、由省立法执行或委托县执行、

依以上原则拟订条文如下

第四十一条　**增加文**　中央与地方采均权制凡事务有全国一致之性质者划归

中央有因时制宜之性质者
划归地方遇有性质牵涉中
央与地方两方面者中央得
授权与地方由地方执行之
遇有性质牵涉省与县者省
得授权与县执行之

第四十二条　**增加文**　下列事项由中央立法并执行之

一　国籍
二　民法刑法诉讼法
三　司法
四　考试
五　监察
六　国防及军制
七　外交
八　户籍
九　地方政制
十　警备治安
十一　教育及文化
十二　卫生防疫及医药

十三　历度衡量及其他全国应有一致之计算制度

十四　财政及财政监督

十五　币制及国家银行

十六　国营独占专卖及其他国营经济事业

十七　土地制度

十八　劳工制度

十九　邮政电报及其他水陆空交通或运输事业

二十　国家工程水利及关系全国之建设事项

二十一　商标专利特许及其他全国应有一致规定之经济权利事项

二十二　银行保险及其他金融事业

二十三　矿业森林及渔业

二十四　侨务

二十五　移民及垦殖

二十六　其他应有全国一致规定之事项

第四十三条　**增加文**　下列事项由省立法并执行或授权与县执行之

一　省之官制官规

二　省之税法

三　省教育实业及交通

四　省财产之经营处分

五　省市政

六　省水利及工程

七　田赋契税及其他省税

八　省债

九　省银行

十　省警察及保安事项

十一　省慈善及公益事项

十二　下级自治

十三　其他依国家法律赋予事项

前项所定各款其经费不足
时得经国民大会议决由国
库补助之

理由 地方之发展、即国家之发展、地方发展之条件、莫要于地方应为之事、在在能举、地方事务之能举则莫要于人力财力之充足、人力问题、姑置别论、关于财力则宪法上应有补救之规定、因省有贫富不同、且难免有特别事件发生、万一各省之政务、因经费不足不能悉举、或因特别事件发生、特别经费无从筹措、倘无补救之法、势必至贻误事机荒废要政也不止、惟设此项规定、俾省之行政经费有短绌时、得请求国库补助庶几调济有方、省政得以措置裕如、

原第四章 改第五章　中央政府

概论　关于此章之立法、拟先说明其性质与地位、再事条文次序与条文内容之修正、窃以政府为政治之府、中央政府为别于地方行使治权之最高机关、总统与各院院长部长之地位与职权皆定于是、此在一般之立宪国、关于其组织与权限、恒以其国体与政体为断、我国则以采五权分立之特制、除此以外、另须将三权分立之原则、改为五权分立、如其他立宪国所有中央政府之范围、大都以三权分立之行政部为限、所谓内阁国务院或行政部是也、若立法职务、当然属于国会、或立法院、考试与监察等性质之职务则多附于行政机关、或国会、无另设机关之可言、更无独立成一权之理、吾国前此各次约法与宪法关于政府之组织、亦多与各国同、自中山先生倡导五权宪法以来宪法之议论为之一变、其最大者、为五权分立、在中山先生自亦称之为试行（建国大纲明白指称设立五院以试行五权之治）、而社会宣传已逾三十年、适否虽非实行后不能证明而舆论确已成熟、从各方面观察、已成不可不一试行之势、宪草依据五权之制、分设行政立法司法考试监察五院、合总统而成立中央政府、此种编制、原属适应环境而生、无论何人、不敢谓为非是、惟细察其条文位次、与内容、俱有再加斟酌之必要、以条文之位次言、前后倒置、不一而足、以条文之内容言、关于职权、则总统与院及院与院之间、皆不无抵触、即政权与治权、皆有混淆、治权与治权复有冲突、倘依此实行、或则流于专制、或则困于牵制、民主政治、无由发展、五权之治、亦难实现、沙千里氏论中央政府有谓“国民政府试行五院之治已好几年、而实际上只是国民政府一权之治”噫、是何言之痛且切也、不但过去与现在如此、吾尝推而论之、倘吾国中央政府之组织、果如宪草所规定、则名为五权之治、实为一权之治、故对于条文之位次与内容、皆认为有修正之必要、试分言其理由如下、以条文之位次言、以总统列为第一节、固无不当、而同节中先事于总统地位与职权之规定、将总统之资格及产生方法置之于后、于理于例、俱嫌不洽、查各国宪法总统章节之编制、莫不先将总统之资格及产生之方法规定于前、所有职权等等则规定于后、以先有机关之人、然后论其机关之作用、始为当理、若论职权于先、论机关于后、殊嫌倒置、以条文之内容言、总统之职权与各院之职权皆须加以变更、用将条文之位次及其内容修正如下、

第一节　总统

原第四十七条
改第四十四条 **原　文**　中华民国国民年满四十岁者得被选为总统副总统

修正文　中华民国国民年满四十岁并居住国内一年以上而有候选资格者得由国民大会选举为总统副总统

原第四十八条
改第四十五条 **原　文**　总统副总统之选举以法律定之

修　正　删除

理由　关于条文位次之修正、其理由已如前述、本条内容之理由分述如下、本条内容共分三点、(一)当选之年龄、(二)居住之时间、(三)选举之方法、此三点中一二两点遍观各国宪法几为通例差别甚鲜其理由可以从略、惟选举方法则成问题、各国不一其法、如美利坚则由各州选派选举人在各州投票选举之、法兰西则由国会联席会议选举之、阿根廷则由选举人成立选举委员会选举之、其他如巴西如墨西哥则由人民直接选举之、芬兰则先选举人百三人选举之、是选举同而选举之方法则各不同、其所以不同之故、则以国情各异也、吾国国情与各国无一尽同者、故无成法之可采、亦无新制之堪仿效、以前此由国会选举论、则可谓皆成失败之历史、新宪对于总统之选举方法、原应多方研究、创立新制以期臻于至善、然法无绝对优良者即有绝对优良者、又或非吾国所能实行、无已姑赞成由国民大会选举、然此敢谓仍为试验的、未必即为真善者、惟甚望其能为真善者、不蹈国会选举之覆辙则幸甚、

原第四十九条
改第四十六条　**原　文**　总统副总统之任期均为六年

连选得连任一次

修正文　总统副总统之任期均为三年连选得连任一次

理由　总统任期、各国宪法规定不一、有长至七年者、短为三四年、吾国国情以期短为宜、且得连任一次、其总统果贤、在任得有六年、亦未始不足以显其尊荣、且世界大势一切为进步的、反映于一国之政治、亦为进步的、从而总统之任期、亦不宜过长、以免与环境不能适应、

原第五十条
改第四十七条　**原　文**　总统应于就职之日宣誓词如下余以至诚向国民宣誓恪遵宪法及法律尽忠本职卫国福民如违誓言愿受国法严厉之裁制谨誓

原第五十一条
改第四十八条　**原　文**　总统缺位时由副总统继其任总统因故不能视事时由副总统代行其职权总统副总统均不能视事时由行政院院长代行其职权

原第五十二条
改第四十九条　**原　文**　总统于任满日解职如届期次

任总统尚未选出或选出后总统副总统均未就职时由行政院院长代行总统职权

原第五十三条
改第五十条　**原　文**　行政院院长代行总统职权时其期限不得逾六个月

修正文　行政院院长代行总统职权时其期限不得逾六个月如六个月总统仍未选出由国民大会就他院院长推选一人代行之至总统就任之日为止

理由　行政院院长代行总统职权、以六个月为期者、以行政院院长负最高行政职责、兼代总统职权诸多不便、再行政院院长、既负政治重责、其位高、其权大、若不限以代行职权之期、万一利用其权势妨害总统之选出、以遂其久于代行职权之私、则国家有事变之虞、其祸有不可测者、

原第五十四条
改第五十一条　**原　文**　总统除犯内乱或外患罪外非经罢免或解职不受刑事上之诉究

原第三十六条改第五十二条 **原　文**　总统为国家元首对外代表中华民国

原第三十七条改第五十三条 **原　文**　总统统率全国陆海空军

原第三十八条改第五十四条 **原　文**　总统依法公布法律发布命令并须经关系院长之副署

修正文　总统依法公布法律发布命令以不抵触任何法律者为限并须经关系院长之副署

理由　查各立宪国之君主或总统、关于命令之发布、无不有种种限制、最普通者为副署、其他则或如阿根廷宪法所规定、总统颁发命令、以执行国家法律所需要者为限、并加但书、不得变更法律之精神、吾国五权分立、各院各自负责、命令出自各院、所需要于总统者甚少、为事前防止命令滥发起见、故附以两种条件、一、为须副署、二、为不得与任何法律抵触、因副署为一事、不得与法律抵触又为一事、虽不得与法律抵触为当然之事、然有此明白规定、使副署者对于不法之命令易于拒绝、墨西哥宪法第二十八条但书云“但该项命令不得与任何法律相抵触”是其先例、

原第四十条
改第五十五条　**原　文**　总统有依法宣布戒严之权

修正文　总统得依法宣告戒严但国民大会认为无戒严必要时应即解严

理由　戒严时期、为非常时期、戒严状态之下、法律之效力、多受限制、人民权利、不无剥夺之处、故戒严一事、非万不得已不宜施行、纵有施行必要、时间愈短愈好、为防止施行不当起见、特加此但书以杜流弊、

原第三十九条
改第五十六条　**原　文**　总统依法行使宣战媾和及缔结条约之权

修正文　总统宣战媾和及缔结条约须经国民大会之复决

理由　政权与治权不可混淆、应由治权行使者、不得移归政权、应归政权行使者、亦不得移归治权、宣战媾和、及缔结条约、事关国本、与一国之独立自由、俱有关系、且直接影响人民之生命财产、其措置当否、国家之兴亡系之、故世界各国、无论其宪法采何种主义、对于此种权之行使、莫不取决于民意机关、在一般共和国多由议会议决、若我国则当然属于人民行使政权之国

民大会、宪草将此种权之议决、规定于立法院、是以治权行使政权、颇嫌不当、其所以如是规定者、或由于各国多由国会行使此权、不知吾国之立法院、与他国之国会不同、他国之国会为民意机关、行使此权可也、吾国之立法院、非民意机关、行使此权不可也、吾国行使人民政权之机关、为国民大会、故以此等权属诸国民大会、可谓适当之规定、宪草原文、依法系指由立法院议决、非指国民大会复决、故修正之如修正文、

第二项　**增加文**　抵抗外国攻击时得于宣战后请求国民大会追认之

理由　世界大同、实现无期、不测之祸、国所不免、吾国积弱、而地大、而物博、世界各国垂涎不置、外国攻击、未敢谓其必无、万一不幸而竟发生、又或事出突然、倘不即时抵抗、贻误何可胜言、今增一项为第二项、俾政府对于抗战之战、得事后请求追认、以便随时应付事变、而复能与宪法不背、

原第四十一条
改第五十七条　**原　文**　总统依法行使大赦特赦减刑复权之权

修正文　总统经国民大会之复决得宣

告大赦但对于谋叛国体者不
得赦免之

理由 大赦特赦减刑及复权事项、以民主立宪、司法独立、法律尊严、法院威信、法律平等等原则论、原无存在之余地、第就政治上之作用言、则有研究之必要、故各国宪法、多有此权之规定、吾国各次约法宪法、亦皆规定之、宪草规定总统有此种权、原未可谓为不当、惟此权之行使、无论何国、皆有种种限制、宪草条文对于限制似有缺漏处、须加以修正、始免流弊、查原条文称总统依法行使各权中之大赦权一权、遍查宪草中、别无大赦之规定、仅立法院议决权中有大赦之一种、但未叙明将此权提请总统行使、是此条所称依法二字、殊无依据、今规定经国民大会之复决、以为依法之根据、并加但书限制、凡不可赦免者、仍不得赦免、如谋叛民国则为法所当诛、规定其不得赦免、洵为允洽、并足杜总统利用此赦免权谋国体之变更之币、此关于宣告大赦、应由国民大会复决之理由也、

原第四十二条
改第五十八条 **原　文** 总统依法律任免文武官吏

修正文 总统任免文武官吏但宪法及

法律另有规定者不在此例

理由 总统得任免文武官吏、殆为通例、惟任免之形式、国各不同、有得自由任免者、有受限制任免者、自由任免者、在现代国家中为数至少、受限制任免者、则殆为十之八九、第限制之方式、及其程度、又各有高低繁简之不同、有以概括的依法二字表现之者、有以列举的将其限制之条件、逐一指出之者、宪草所采之方式如概括的、于得行使此权之上、冠以依法二字、殊嫌含混、因法律之变更易、宪法之变更难、凡宪法及法律另有规定者、明白指出总统不得任免、则限制之力较强、宪草所采者为柔性的限制、笔者认为应采刚性的限制、所以防法律之变更、而免任免之范围扩大、此修正此条之理由也、

原第四十三条
改第五十九条 **原 文** 总统依法授予荣典

原第四十四条
改第六十条 **原 文** 国家遇有紧急事变或国家经济上有重大变故须为急速处分时总统得经行政会议之决议发布紧急命令为必要之处置但应于发布命令三个月内

提交立法院追认

修　正　删除

理由　紧急命令、在现代立宪国中、仅元首掌握统治权负行政实责者有之、如日德两国是、此外之国、有此权者、殊不多见、因此权成立利或不见、害则滋多、兹就我国国情、认为应将此条删除之理由分三方面言之、一、就我国新宪之政治组织言、我国政权、由国民大会行使、治权由五院各自负责分别行使、总统虽为行政元首、而非实际负责者、更非掌握统治权者、既非掌握统治权者、复非实际负政治责任者、则此权根本无由成立、此其一、二、就紧急命令之性质言、紧急事变之解释、难得一定之标准、而紧急命令之性质、至为坚强、一能代法律、二能变更法律、三并能变更命令、虽有限制、其限制实同虚设、其权能之大、在行政方面可谓无敌无限、而其流弊亦为无穷、果有此权、人民权利因此而失其保障、国家基础亦或因此而致动摇、揆诸先例、可以证明、如钱端升氏有云、德国自威玛宪法成立以迄一九三二年九月底止、总统根据宪法第四十八条第二段之规定颁发的命令、多至二三三件、此二三三件命令中、代法律者固多、变更法律变更普通命令及变更联邦法律或命令者、亦不少、他如我国袁世凯在民国三年利用所谓发布教令权、妨害人民约法上之各种自由、摧残民主压迫革命、以遂其帝制自为之欲、亦大足为殷鉴、此其二、三就事实上是否需要言、事实方面需要紧急命令、无过于对内对外之发动军事、果有军事发动必要、戒严法与军事命令、俱足应付、实无另行发布紧急命令之必要、原文所指应付国家经济上之重大变化、或有必要、则其理由亦殊薄弱、因立法院为专事制定法律之机关、果有必要、必能因时制法、以赴事机、亦无须紧急命令以济其急需、此其三、依以上三种理由、我国宪法上应无此权之设立、以杜流弊而安国本、此主张删除此条之理由也、

原第四十五条
改第六十一条 **原　文**　总统得召集五院院长会商关于二院以上之事项及总统咨询事项

修　正　删除

理由　新宪大体、规定总统与五院各对国民大会负其责任、则各院根本得各行其是、既不必会聚一堂、共

同讨论、亦无须彼此联络、互相制裁、是原则上应无二院以上之事项待何机关为之解决、就令有之、以五院院长系各自对国民大会负责、非对总统负责、亦只可由国民大会或其委员会解决、由总统召集五院院长会商、于法理固为不合、于事实亦感不便、至总统咨询事项、以总统既非政治实际负责者、所有最高之行政事务、概由五院院长自负其责、故纵有咨询、亦无召集五院院长会商之必要、此条亦主张以删除为当、

原第四十六条
改第六十二条 **原　文** 总统对于国民大会负其责任

第二节　行政院

原第五十五条
改第六十三条 **原　文** 行政院为中央政府行使行政权之最高机关

原第五十六条
改第六十四条 **原　文** 行政院设院长副院长各一人政务委员若干人由总统任免之

修正文 行政院设院长副院长各一人政务委员若干人行政院院长

副院长由国民大会选举之政务委员若干人由行政院院长提请总统任命之

理由　此条修正之理由、已于修正国民大会职权中增加选举罢免行政院院长条文内陈述、兹不复赘、政务委员以对行政院院长负其责、故应由行政院院长提请总统任命、

第二项　**原　文**　前项政务委员不管部会者其人数不得超过第五十八条第一项所规定管部者之半数

原第五十七条 改第六十五条　**原　文**　行政院设各部各委员会分掌行政职权

原第五十八条 改第六十六条　**原　文**　行政院各部部长各委员会委员长由总统于政务委员中任命之

修正文　行政院各部部长各委员会委员长由行政院院长于政务委员中提请总统任命之

理由　行政院为中央行政最高机关、直接对国民代

表大会负行政方面全责、各部部长、各会委员长、为分掌行政职权者、其职务当然应由行政院院长指挥而监督之、倘直接由总统任命、一方面指挥不便、行政方针必难统一、一方面监督无权、行政之效率必极低落、甚且或发生各种争执、其弊有不可胜言者、惟规定各部部长与各委员长由行政院院长提请总统任命、则权责分明、有管辖之名、并能举管辖之实、各国国务员或部长由责任内阁之内阁总理提请总统任命者亦缘是故、

第二项 **原　文** 行政院院长副院长得兼任前项部长或委员长

原第五十九条 改第六十七条 **原　文** 行政院院长政务委员各部部长各委员会委员长各对总统负其责任

修正文 行政院院长副院长对国民大会负其责任政务委员各部部长各委员会委员长对行政院院长负其责任

理由　此条之修正、系根据前条之修正而来、吾国总统既不负行政实责、则负行政实责者、无论从何方而

观察、当然为行政院院长、亦即当然应对国民大会负其责任、行政院院长既负行政责任、则凡分掌行政职务之政务委员部长、或委员会委员长、自亦应由行政院院长对之课其责、藉非然者、则有如修正前条理由之所述、负行政之责者、无指挥监督行政之权、影响于行政事务者至巨、甚非国家之所能堪、此将行政院院长对总统负责、改为对国民大会或其委员会负责、及将政务委员各部部长各委员会委员长对总统负责、改为对行政院院长负责之理由也、

第六十八条　**增加文**　行政院院长决定大政方针

理由　立宪国通例、负政治上之责任者、须将大政方针、预为决定、并宣布之、人民拥护之以此、议会监督之亦以此、缘政权依此而发动、责任亦以此而确定、新宪中之行政院院长、为吾国负政治之责者、既居是职、对于政治、应如何推行、如何改进、皆应有确定之方针、精密之计划、足以历人望而定人民趋向、并俾分掌政务者有所遵循、以收指臂之效、而竟分职合作之功、否则漫无标准、全国政务一盘散沙、匪仅无效果可言、而误国祸民、靡有底止矣、故就通常言之、膺此选者、在未

当选以前、必有其卓越之政见、表示于众、就职后、则能本前此所表示于众者、心体而力行、兢兢于实效之收获、以符人民之望、绝不至胸无成竹、贸然居此重职、坐误国事、为当代羞、此增加此条之理由也、

原第六十条
改第六十九条　**原　文**　行政院设行政会议由行政院院长副院长各政务委员组织之以行政院院长为主席

原第六十一条
改第七十条　**原　文**　下列事项应经行政会议议决

一　提出于立法院之法律案预算案

二　提出于立法院之戒严案大赦案

三　提出于立法院之宣战案媾和案条约案及其他关于重要国际事项之议案

四　各部各委员会间共同关系之事项

五　总统或行政院院长交议之事项

六　行政院副院长各政务委员各部各委员会提议之事项

修正文　下列事项应经行政会议议决

一　提出于立法院之法律案

二　提出于立法院之条约案及其他关于国际重要事项之议案

三　提出于监察院之决算案

四　各部各委员会间共同关系事项

五　依法律所定或行政院院长认为应交会议议决事项

六　各部各委员会提议事项

理由　以上各项、除第四第六两项照原文外、其他如一二三五四项皆予修正、修正之理由述如下、第一项之预算案、第二项之大赦案、与第三项之宣战媾和及条约案、以事关国本、应由政权机关决定、在各国为国会议决、在我国为国民代表大会或其委员会议决、如原案规定交由立法院议决、殊为不当、以立法院之性质有如前述、与各国之国会不同、非代表民意之政权机关、乃政府行使治权之机关、以治权机关、行使政权机关之职权、既违五权独立之精神、复失政权与治权划分之作用、故国人于此、訾议之者至多、惟具体的将各款修正之者、尚未多见、今逐一修正、将提出于立法院之预算案、大赦案、宣战媾和及条约案、皆改提出于国民大会议决、以符法理、而免政权与治权之混淆、第五项交议事项中、将总统二字删除、以政责既由行政院院长全负、所有应议之事、皆应由行政院院长提出、总统无须另行交议、以免政见冲突、主张矛盾、发生府院纠纷、影响于政局之不安、第六项提议事项中、将行政院副院长六字删除、则以行政院提议事件、应由院长名义行之、副院长无单独提案之必要、因副院长为辅佐地位、非独立性质、若因代理院长须得提议、则代理院长时之提议、仍由院长之名义行之、非以副院长之资格行之也、此修正本条第一二三五六等项之理由也、

原第六十二第
改第七十一条 **原　文**　行政院之组织以法律定之

第三节　立法院

概论　欲善立法院之制、须先决定其职权、欲定其职权、须先决定其性质、新宪所谓立法院与其他各国所谓立法机关不同、已如以前各章所述、三权分立国之立法机关、大抵为行使政权之民意机关、如国会是、吾国新宪之立法院、为五权分立中行使治权之机关、其委员之产生、非直接民选、其地位为政府、不足代表民意、故其性质仅能处理事务、不能监督政府与其他立宪国之部省相同、与其他立宪国之立法机关有立法兼监督政府者则不同、其性质如是、则新宪法上关于立法院之职权、应如何规定、其范围以何者为当、不难迎刃而解、试据此将宪草关于立法院之各条条文中、应行修正者、分别修正如下、

原第六十三第
改第七十二条　**原　文**　立法院为中央政府行使立法权之最高机关

原第六十六条
改第七十三条　**原　文**　立法院设院长副院长各一人任期三年连选得连任

修正文　立法院设院长副院长各一人

任期三年由国民大会选之连
选得连任

理由 此条修正之理由、应分两点说明、一、将条文之位次移前之理由、条文位次之所以移置于前者、以此条位次、原应置于规定于机关性质之后、如行政院关于院长设立之规定、亦规定于行政院性质之后、宪草之所以变更之而位次于后者、因宪草主张立法院院长由立法委员互选、使其与立法委员产生之条文相衔接、今修正之、院长由国民大会选举、院长设立之规定、自应移置于前、二、将委员互选院长、改由国民大会选举之理由、五院地位相同、而对国民大会负责亦同、其他院长既由国民大会选举、立法院院长亦自未可独异由委员互选、若谓立法院与他院性质不同、如各国议会议长、皆由议员互选、立法院性质与议会同、故立法院院长亦应由立法委员互选、则当知我国之立法院与他国之国会不同、我国之立法院如前所述为治权机关、其职权应以立法事务为限、所有各国国会中关于监督政府代表民意之职权、皆已划归国民大会执掌、以此为须由委员互选之理由亦不能成立、

原第六十七条
改第七十四条

原　文　立法委员由各省蒙古西藏及侨居国外国民所选出之国民代表举行预选依下列名额各提出候选人名单于国民大会选举之其人选不以国民代表为限

一　各省人口未满五百万者每省四人五百万以上未满一千五百万者每省八人一千五百万以上未满二千万者每省十人二千万以上未满二千五百万者每省十二人二千五百万以上未满三千万者每省十四人三千万以上者每省十六人

二　蒙古西藏各八人

三　侨居国外国民八人

修正文　立法院立法委员名额不得逾百人

理由　此条修正之要旨、一、委员之选举另以法律规定之、使其有弹性、便于改正、二、立法院之职权、依修正之结果、专事立法所有、其他职权、多已划归国民大会、事权既减、人员亦自可减、且立法事宜、贵在精审、任其职者、以专门人才为适、在精不在多、规定不得逾百人、所以防浮滥而节靡费、

原第六十八条
改第七十五条　**原　文**　立法委员任期三年连选得连任

第七十六条　**增加文**　立法院有议决法律之权

第七十七条　**增加文**　立法院院长或立法委员七人以上之连署者得提出法律案

理由　立法院院长、地位特殊、独立得提出法律案自无不可、立法委员所以限制须有七人以上之连署者、为防止提案过滥、有妨立法事务之进行、考诸各国立法机关之通例、亦类多为如是之规定、故有此条之增加、

第七十八条　**增加文**　各院院长得就主管事项提出法律案

理由　各院院长、为其本机关治权之发动、与职权之行使、在在须有法律为依据、故各立宪国各院部长有

提出法律案之权、殆为通例、吾国历次宪法亦如之、其理由至为明显、无俟多赘、

第七十九条　**增加文**　立法院议决之法律案关于财政者必须送交国民大会复决其他立法院得送交复决或国民大会请求送交复决

理由　法律之制定、与国家社会个人皆有密切关系、非可冒昧从事、故各国立法机关、关于法律制定之手续、非常繁重、在通常立宪国、须经上下两院或其民意机关之议决、吾国民意机关、为国民大会、故法律之最后决定权、当属诸该会、至财政方面之法律案、必须送交该会复决者、以财政法律案如增税募债俱为增加人民负担之案、非经该会议决、殊与宪政不合、至立法院得送交复决者、则以法律效力及于全国、全国情形之明了、以国民代表、比较详尽、立法院为求法律能合民情及满足人民需要起见、送交复决、既昭审慎、复免疏漏、若国民大会之得请求送交复决、则以其为行使人民政权之机关、法律为人民权义之所出、为保障人民权利及监督政府行政计、自应有此权能、始得尽其职责、此增加此项规定之理由也、

第二项　**增加文**　法律案不经国民大会复决者由立法院院长于议决后十日内公布之其须经国民大会复决者于复决覆到后三日内公布之

理由　法律之制定、本于人民之需要、故决议之后、应即公布、以应其需要、但政府与人民、恒因所处之不同、是非利害、往往各异、人民所谓是与利者、政府或认为非与害、今规定不经国民大会复决者、立法院院长于议决十日内公布之、是在院长则不能随便搁延、在政府则无法阻止其实行、其送经国民大会复决者、限于复决覆到后三日内公布、其意与上项同、亦为防止迟延时日、或有关各方面从中阻挠甚或根本推翻不见诸行、

第八十条　**增加文**　总统及各院院长提出之法律案经立法院否决或有与其提案相反对之修正议决时得拟具意见请求立法院送交国民大会复决国民大会之复决认立法院否决或修正为无理由

者立法院应以原案为法律

理由 各院虽同为治权机关、然以地位不同、性质各异、对于政治方面之见解、恒有不能一致、故各院提出之法律案、难免不与立法之见解不同、各院以为至当者、立法机关或认为不适、遇有此等事件发生、必有其解决之一法、今增加此条第一项、规定各院院长、对于立法院之否决或修正其提案之议决时、得拟具意见、请求立法院送交国民大会复决、借资解决、又以国民大会复决之结果、如立法院之议决或其修正无理由时、亦须有解决之法、再增加第二项规定、俾遇有此种情形时、立法院应以原案为法律案、以资救济、而保平衡、

原第六十五第 改第八十一条 **原　文** 关于立法事项立法院得向各院各部各委员会提出质询

原第七十五条 改第八十二条 **原　文** 立法委员之选举及立法院之组织以法律定之

第六十四、七十、七十一、七十二、七十三、七十四等条

修　正 删除

理由 上开原案各条、应否删除、应以总统之职权与

立法院之职权是否如原案所规定者为断、如其是也、则原案第七十条七十一条为总统行使其负责职权所必需、应予保留、以便总统对于法律案之处理、然笔者早已于别章别节、主张总统为不负行政实责者、是总统之职权、早已变更、总统职权既已变更、变更之结果此二条无保留之必要、至原案第六十四、七十二、七十三、七十四四条、为立法院行使国会或其他民意机关之职权所必需、倘立法院之职权仍如原案所规定、不仅限于议决法律、并有议决预算、戒严、大赦、宣战媾和等等之权、则上开各条自可存在、俾立法委员借得各种保障、以便自由行使职权、惟笔者前已主张立法院应以制定法律为职责、其他属于民意机关之职权、应划归国民大会行使、立法院既不行使民意、机关须受特别保障之职权、则此项条文、自应删除、其详细理由可参照笔者对于国民大会增加职权所述之理由、

第四节　司法院

原第七十六条
政第八十二条　**原　文**　司法院为中央政府行使司法权之最高机关掌理民事刑事

行政诉讼之审判及司法行政

原第七十七条 改第八十四条 **原　文**　司法院设院长副院长各一人任期三年由总统任命之司法院院长对国民大会负其责任

修正文　司法院设院长副院长各一人任期三年由国民大会选举之司法院院长对国民大会负其责任

理由　新宪法既采五权分立制、各院各自直接对国民大会负责、各院院长自应由国民大会选举、司法院院长更为必要、原案规定由总统任命、其为不合、至为明显、故修正之由国民大会选举、以符五权分立之制、

原第七十八条 改第八十五条 **原　文**　关于特赦减刑复权事项由司法院院长依法律提请总统行之

修正文　司法院院长得宣告特赦减刑及复权但须提交国民大会复决之

理由　特赦减刑及复权之宣告、应由何方面行使、

各国宪法不一其制、如法国则由总统依法行之、巴西则由最高审判院行之、其他则多由司法机关提请民意机关同意行之、吾国总统非握统治权者、又已取得依法行使大赦权、不必再有此等特权、已于总统职权中论及、司法院亦非政权机关、亦无独立行使此种特权之理、今规定由司法院院长提请国民大会复决行之、似为至当、此修正此条之理由也、

原第七十九条
改第八十六条　**原　文**　司法院有统一解释法律命令之权

原第八十条
改第八十七条　**原　文**　法官依法独立审判

修正文　司法官独立审判无论何人不得干涉

理由　审判不独立、司法无独立之可言、原文与修正文意旨本无二致、修正文加无论何人不得干涉八字者、表示需要独立之意思、特别严切、再以人论、如总统司法院院长或军司令官等等、是地位特殊、难免不因情势而或有所干涉、今规定无论何人不得干涉、则此等地位特殊之人、知所警惕、而泯干涉之念、张知本氏宪草亦有若是之主张、可谓先得我心、惟张氏未附理由、其所

持理由、是否尚有深切于此者、则非笔者所敢妄断、

原第八十一条 改第八十八条 **原　文** 法官非受刑罚或惩戒处分或禁治产之宣告不得免职非依法律不得停职转任或减俸

原第八十二条 改第八十九条 **原　文** 司法院之组织及各级法院之组织以法律定之

第五节　考试院

原第八十三条 改第九十条 **原　文** 考试院为中央政府行使考试之最高机关掌理考选铨叙

原第八十四条 改第九十一条 **原　文** 考试院设院长副院长各一人任期三年由总统任命之考试院院长对于国民大会负其责任

修正文 考试院设院长副院长各一人任期三年由国民大会选举之考试院院长对国民大会负其责任

理由　考试事宜、专设一院、独立处理、虽未前闻、然吾国新宪、既认考试为五权独立中之一、则考试院院长以其地位与其他院长相同、亦自可与其他院院长同由国民大会选举、以符法系、故亦将由总统任命改为由国民大会选举、

原第八十五条
改第九十二条　**原　文**　下列资格应经考试院依法考选铨定之

一　公务人员任用资格

二　公务候选人员

三　专门职业及技术人员执业资格

原第八十六条
改第九十三条　**原　文**　考试院之组织以法律定之

第六节　监察院

原第八十七条
改第九十四条　**原　文**　监察院为中央政府行使监察权之最高机关掌理弹劾惩戒审计对于国民大会负其责任

修正文　监察院为中央政府行使监察

权之最高机关掌理弹劾惩戒
主计审计对国民大会负其责
任

理由　此条修正、仅于掌理事项中、增加主计一项、兹于叙述理由之先、将监察之性质、简单言之、监察院机关、在各国无先例、各国关于监察院之职权、大抵由国会与司法机关行使、故监察制度、是我国创例、亦我国新宪法上特点之一、论以我国秦汉以来之御史制、则性质极似、权限则广狭不同、御史能行使事前监察之权、监察仅能行使事后监察之权、御史所监察之范围、不以法律事件为限、即个人之不德行为、亦在监察之列、监察则以百官违反法令之行为限、凡个人的私德、则所不问、至二者以何者为善、则以今昔殊情、昔日我国法制简单、监察权之范围自宜从广、今日我国各种法制渐臻完备、凡御史行使十种职权中、除弹劾权外、如建议政事权、监察行政权、考察官吏权、会谳重案权、辩明冤枉权、检查会计权、封驳诏书权、注消重案卷权、监察礼仪权等等、皆有新的机关分别代为行使、无重列监察院职权内之必要、如会谳重案权、在昔日非有监察院行使不可、今则有法院专司其事、自毋须再以此项职权赋予于监察院、监察之职权、既不须与御史同、则本条所规定监察院之职权、在大体上原亦妥洽、惟关于主计一项、未予列入、殊嫌缺漏、缘既为监察院、则凡应监察之公务、悉宜罗列、查现国民政府之主计处、其职权为办理全国岁计会计、其性质为监督全国财政的收支、是此项职权、允宜划归监察院行使、故主张本条增加主计一项、以完监察职责、而资统一、

原第八十八条
改第九十五条 **原　文**　监察院为行使监察权得依法向各院各部各委员会提出质询

修正文　监察院为行使监察权得依法向全国各行政机关提出质询并调阅案卷抄录文书

理由　此条修正者、为将范围扩大及地方并于提出质询下增加调阅案卷、抄录文书八字、缘监察权之行使、以全国公务与人员为对象、欲判别公务与人员之是非、必先明了其公务与人员之真况、欲明了其真况、仅恃耳闻与表现于外者、决不足以应需要、必全国各行政

机关之一切施政状况、人员任免经过、与夫考核所得成绩、一一明了、始得臧否是非、评论得失、若如今日之情形、监察院对于中央及地方各行政机关之情形茫然不知、昧焉无闻、监其所监、不知其所谓监、察其所察、不知其所谓察、其结果非放弃职责、即举劾失实、放弃职责、国家何贵乎有此机关、举劾失实、国家又何贵乎有此机关、惟监察院对于各院部会等机关、不仅得随时质询、并须得随时调阅案卷、抄录文书、俾欲知者得知、不闻者得闻、对于各机关之设施、人员之任职、能发现真实、庶一方面足使公务人员知所警戒、收事前防患之效、一方面能明了一切真况、免举劾失实之弊、故监察院、仅得依法向各院部会提出质询、仍嫌不足、必继之以地方及调阅案卷、抄录文书之权、始足以贯彻监察之目的、而又不失于滥妄、此修正扩大范围至于地方并增加调阅案卷抄录文书一项之理由也、

原第八十九条
改第九十六条 **原　文**　监察院设院长副院长各一人任期三年连选得连任

修正文　监察院设院长副院长各一人任期三年由国民大会选举连

选得连任

理由 原案对于院长之产生、未予规定、大抵拟规定于监察院组织法中、组织法中将来如何规定、固未预断、要无论其如何规定、均不见其有当、缘如前各条理由所述、五权分立制之下、所有五院院长、地位相同、同对国民大会负责、即共应由国民大会选举、以监察院之性质论、尤有由国民大会选任之必要、故将原文修正、明白规定院长由国民大会选任、以免由别项法律规定、引起纠纷、而生企异、此修正规定由国民大会选任之理由也、

原第九十条 改第九十七条 **原 文** 监察委员由各省蒙古西藏及侨居国外国民所选出之国民代表各预选二人提请国民大会选举之其人选不以国民代表为限

原第九十一条 改第九十八条 **原 文** 监察委员任期三年连选得连任

原第九十二条 改第九十九条 **原 文** 监察院对于中央及地方官吏违法或失职时经监察委员一人以上之提议五人以上之审

查决定提出弹劾案但对于总统副总统及行政立法司法考试监察各院院长副院长之弹劾案须有监察委员十人以上之提议全体监察委员二分之一以上之审查决定始得提出

修正文 监察院对于中央及地方官吏违法或失职时经监察委员一人以上之提议五人以上之审查决定提出弹劾案但对于总统副总统及行政立法司法考试监察各院院长副院长之弹劾案须有监察委员十人以上之提议全体监察委员三分之一以上之审查决定始得提出

理由 弹劾总统与院长副院长、事关严重、关于案之提出及审查决定、其人数自应较其他弹劾案加多、然为事实上使案有决定可能起见、又不能增之过多、原案提议规定为十人、尚无不可、惟审查决定须全体委员二分之一、殊嫌过多、大有使弹劾案陷于不得通过之嫌、虽不愿所提之案皆得通过、要不能不使之有通过之可能、遍查各国关于弹劾案提出与审查决定之规定、其手续大都简单、以提出尚待审查、审查决定尚须议决、弹劾案之归宿、在议决、弹劾果无理由、纵审查决定、仍不生效力、故议决应审慎从事、审查决定、稍事轻便、未足为害、此修正将审查决定须全体委员人数二分一改为三分一之理由也、

原第九十三条 改第一〇〇条 **原　文** 对于总统副总统行政立法司法考试监察各院院长副院长之弹劾案依前条规定成立后应向国民大会提出之在国民大会闭幕期间应请国民代表依法召集临时国民大会为罢免与否之决议

原第九十四条 改第一〇一条 **原　文** 监察委员对于院内之言论及表决对外不负责任

原第九十五条 改第一〇二条 **原　文** 监察委员除现行犯外非经监察院许可不得逮捕或拘禁

原第九十六条
改第一〇三条　**原　文**　监察委员不得兼任其他公职或执行业务

原第九十七条
改第一〇四条　**原　文**　监察委员之选举及监察院之组织以法律定之

第六章　地方制度

概论　论宪而至地方制度、大有谈虎色变之象、脑不觉而胀、心不觉而烦、以吾国之所谓地方、与他国之所谓地方、完全不同、地域辽廓、情形复杂、从而立法定制、亦百般困难、抵触矛盾、随处而生、顾此则失彼、顾彼则失此、故每次制宪、无论在何时何处、靡不以此为难关、而其症结、则在分权与集权、集权固有其理由、而分权更有其词说、大抵民党及赞成民主政治者、多主张分权制、反之官僚党及怀疑民主政治者、多主张集权制、一以统一行政为理由、一以发展民权为理由、阵容整齐、壁垒森严、斗争之烈、为其他问题所未有、议员以此而挥拳而流血、疆吏以此而通电而迫散议会、舆论方面、亦以是而分树两帜、一则以促成统一为国是、一则以联省自治为国是、蛮角触立、两不相下、迄十余年而无定论、在民十四年以前、则分权之说盛、以军阀据省而治、一般人民、不能不主张分权自治、以削军阀之势、而期政治复于民主、在十四年以后、则集权之说盛、以革命成功、中央势力可及于各省、统一大有可期、自第一次欧战结束、法西斯主义勃兴、德意等国、以集权而兴、国人受其影响、一部分人士、对于宪法思想为之一变、视民主分权为陈旧、不合潮流、一若非集权专制不足以强国者然、兢兢于德义集权制之仿效、惟国民之大多数、则仍信仰民主主张、分权两种思想、集于一时、同时反映于立法院之宪草委员会者亦成对立之势、议论纷纭、莫衷一是、各个人之草案各不相同、会院所决定之案亦先后互异、对于地方制度一节、忽焉有中央与地方权限划分之规定、忽焉又删除之、至五五宪草公布、卒无中央与地方权限划分之一章、其对于省之各种规定、则极为简单、一切委之于普通法律、其地位则为中央行政区、省长则由中央任命、是大足表示集权派之胜利、惟此种胜利或由特别环境之所致、不仅不足代表民意、且为民意之所反对、宪草各项规定其令人失望而为世所诟病者、莫以此为最、尝考其所以有此谬戾者、为误认集权为统一之要件、分权为分裂之张本、不知集权为一事、统一又为一事、分裂为一事、分权又为一事、昔日德义之强、非集权之效、乃统一之效、满清袁氏与北洋军阀之灭、非不集权之咎、乃无力统一之所致、笔者对草案之此种意旨、不敢苟同、其详细理由、将于修正地方制度理由中陈述、惟对地方制度之拟订、依据上开情由、应先将与地方制度有关之各种先决问题、先行研究、研究得有结果、然后再事于条文之制定、庶或立言有据、得合逻辑、窃以吾国地方制度、应先决之问题有三、

（一）中央与地方权限之划分、采集权分权制、抑采均权制、

（二）假定采分权制或均权制、关于省之性质当然为自治团体、而非单纯的中央行政区域、但自治团体在各国制度中、有联邦式的刚性制、与单一式的柔性制之二种、刚性制如美德瑞士之所谓州邦、其性质虽为自治团体、而其地位、则设定于宪法、非普通法律所能修正或变更、柔性制如法意日之所谓省郡府县市、其性质虽亦为自治团体、而其地位乃设定于普通法律、依普通法律即得修正而变更、吾国之地方、所谓自治团体、应为

刚性制、抑应为柔性制、此应先决者二、

（三）假定吾国地方之自治团体应采刚性制、而刚性制在各国制度中又有将其地方分为一级二级或三级之不同、例如德在各邦之下、大抵有省团与区之三级、巴西与墨西哥有邦与市之两级、其他如法亦采省市两级、意采省市区三级、吾国地方之自治团体、应采何制、即应采几级制、此应先决者三、

以上三者决定、然后条文之内容得以决定、笔者第一主张采均权制、第二主张省的性质为刚性的自治团体、其地位规定于宪法、第三主张吾国之地方自治团体、采二级制、在权限划分方面、分中央省县市之三级、其理由分述如下、

（甲）从地方之土地辽阔言　政府施治之目的、以政府之政治能力所能及之范围为标准、倘范围大、能力小、非措施不常、即贻误事机、我国幅员之广、一国可等数十国、一省可等数国、一县可等他国之州与省、犹或过之、倘不分权与省县、以一中央而统辖全国、民情间隔、精神不能贯注、无论用人行政、皆有鞭长莫及之势、结果有管辖之名、无管辖之实、岂仅于民无益、而且于

民有害、人民何贵乎有此加害之政府、吾国近百年来中央政府腐败、而地方亦大受其影响、利莫能兴、弊莫能除、原因虽夥、而用人行政权全属中央实为之主因、向使地方有自治之权、以地方人任地方事、休戚相关、痛痒与共、凡百措施、悉合民情、地方未有不兴者、各国新宪虽多注意于统一、而未尝专事于集权、亦以此耳、此从吾国地方地域之辽阔言、应采分权制之理由也、

（乙）从地方之情势复杂言　古今中外、所谓政制、原无绝对的善恶、悉以适合与否为转移、在一国以适合国情为善、在地方亦以适合地方情形者为善、吾国幅员若是其广、各地情形若是其殊、所有风俗习惯文化与夫人力物力、若是其不相等、南北东西各不相同无论矣、即东南与东南、西北与西北、亦多各异、东南各省与西北各省、文化程度之差、财富物力之殊、相隔在百年以上、若必强其行同一之地方制、其害曷可胜言、宪法于此、惟有予地方以相当权限、俾地方事宜由地方人民自行立法、行其所可行、急其所当急、有因时制宜之利、无削足就履之弊、斯为有当、向使力求事权集于中央、使数十之地方、政令出于从同、举凡地方政务、非中央法令

不行、则中央法令为以一概百者也、以此而求人民需要之满足、地方情形之适合、不啻南辕而北辙、其结果因革损益、积极消极两方面无不皆受其弊、此从地方情势复杂言、应采均权制之理由也、

（丙）从地方之所谓省之历史与现实情形言　吾国之所谓省、渊源于元之行省、考其初意、确为国家之行政区域、所谓行省、即中央派员常驻该地、省察地方情形之意、若时代不改、情形犹昔、则今日之所谓省、一切仍可循其旧而不变、惟自海通以来、国情为之大变、从而昔日之所谓省、其情形亦随之而变、自满清末年、有咨议局之设、民元以后、有省议会之立、置都督、设省长、制省预算、征收省税、省议会则选举参议院议员、并有省事业等等、是皆表现省有独立自由之人格、省得为权利之主体、他如中山先生之遗教、与近三十年来之舆论、亦对于省之制度、反复研究、尽情讨论、以是省之一级、早已深入于国民之脑海、其应有自治之权、几为世所共认、今新宪纵的方面为周顾历史、横的方面为尊重现实、对于省的规定、应特别注意、予以相当权限、若悍然不顾、只知有中央、不知有地方、闭门造车、欲

求出而合辙、仅凭理想、欲获垂拱之治、岂仅扞格不通、自垂宪信、抑且贻人口实、遗祸将来、秦分天下为三十六郡、权力可谓集中矣、不二世而亡、况各省如有自治权、使各地对于各种政治组织得作一种试验、亦未始非吾国今日初行宪政之所宜有、此从地方省之历史与现实情形言、应采分权制之理也、

(丁)从宪政初行训练人民行使政权言　语曰有法不行与无法等、故推行民权、须先训练人民行使政权、倘人民不知行使政权、纵有宪法、民权仍无由存在、吾国专制数千年于兹、民国以前、人民不知民权之运用无论矣、即民国成立以后、以军阀专政、约法宪法等于废纸、人民于民权民治亦多昧然、今后如果实行宪政、第一须有完善之宪法、第二须使宪法有效、宪法完善、制宪者之责、宪法有效、乃行使民权者之责、欲人民皆知行使民权、须先使人民有行使民权之机会、惟采分权制、自治之范围扩大、则地方之省县人民、常在行使民权之中、由无意识变而为有意识、由无兴趣变而为有兴趣、则民权不虚有、宪法之效可睹、民治之功可期、世界各国宪政之所以兴、宪法之功固伟、而人民之能行使政权、

使宪法之效力发挥于无遗、其功用尤为宏大、向使采集权制、一切发动于中央、官由中央任命、政由中央主持、人民无行使政权之机会、即无训练运用宪政之机会、其结果、宪法自宪法、宪政自宪政、而人民之不知行使民权争取民治、一如往昔、国其有兴耶、此就宪政新行、训练人民行使民权须采分权制之理由也、

依以上理由、对于宪草第五章第一节之规定、由九十八条至一百〇二条、均予修改、并于第一节前增加一条、又于省政府条文前、增加三条、至条文之内容、根据上开之先决原则为之、

第一〇五条　**增加文**　地方制度划分为省及县市两级

第一节　省

概论　规定省制之条文、应依据省制之大体、省制之大体有下列之各种、一、省为刚性的自治团体、有其自治权、二、有民意机关、三、有执行民意机关之行政组织、四、执行民意行政机关之组织、采合议制、依此大体、分别拟订条文如下、

第一〇六条　**增加文**　省为高级地方自治团体即刚性的自治团体

理由　详地方制度概论中、

第一〇七条　**增加文**　省依本宪法赋予立法兼执行之权限内得自制定省宪法但不得与本宪法及国家法律相抵触

理由　省应否制定省宪、以省之性质与地位为断、省之性质如为中央之行政区域、则自以不制省宪为合、倘省之性质与地位、不仅为中央行政区域、兼有其地方之自治行政、则非制宪不为功、以省除执行中央命令外、并有其自行处理之事务、既有处理其自身之事务、则非有一部分之独立自由立法权、决不能应付裕如、吾国之所谓省、其性质与地位、如前所论、早已超越行政区域之地位、其性质应为刚性的自治团体、地位既非单纯的中央行政区域、性质又为刚性的自治团体、其应制定宪法、于法理事实、俱为允洽、或谓各国先例、惟联邦国之邦、得以制宪、若单一国家之地方、从未有另行制宪者、曰、是不然、吾国之省、已如前述、其性质与地位实与他国之邦与州等、而与他国之中央行政区域完全不同、故谓之为省可、谓之为邦为州亦无不可、拘泥单一之名、不顾事实之需、为国立法、当不若是、且查民国十三年第一次全国代表大会宣言、对内政策第二款有云、各省人民、得自定省宪、惟省宪不得与国家宪法相抵触、是省应制定省宪、不仅衡诸今日之省情、无可致疑、即揆诸民党政策、彰明宣示、亦未可遽予变更、此主张省应制省宪之理由也、

第一〇八条　**增加文**　省宪法由省民会代表组织省宪法会议制定之

理由　省宪法为省自治行政之根本法、对于其制定之机关、原有两种主张、一为由省之代议机关省议会及县议会与其他职业团体之代表组织省宪会议制定之、一为由省民会组织省宪会议制定之前者为民十二年之宪法之规定、后者为一般议宪者所主张、惟二者之主张、在形式上虽有不同、而在实质上则无大异、因其不同、乃由于省议会与省民会之性质不同、省议会虽亦为民意机关、然为代议之性质、故以增加其他份子共同制宪比较妥慎、省民会不仅为民意机关、乃为代表省民行使政权

之机关、其性质坚强、自可单独为省宪之制定、笔者认后者之主张与新宪之体制相符、故主张省宪由省民会代表组织省宪会议制定之、

原第一〇〇条
改第一〇九条 **原　文**　省设省参议会参议员名额每县市各一人由各县市议会选举之任期三年连选得连任

修正文　省设省民会代表全省人民行使省民政权省民会由全省各县人民直接选举之代表组织之

代表之名额每县一人其人数逾三十万者加选一人任期三年连选得连任

理由　省之民意机关、其名称以何者为当、议者不一其说、窃以欲断其是非、须先考其性质与职权、省如为中央行政区域、其民意机关之职权、仅限于辅助省政之地位、则其名称自可以辅助的字义表示之、反之若省之性质为刚性的自治团体、其自身有一部分独立自由之职权、则其名称又应以主动的字义表其意、吾国之省不应认为中央行政区域、而应认为刚性的自治团体、已如

上述、省既为自治团体、自应有独立自由行使其意志之民意机关、其机关既得行使独立自由之意志、其名称亦自以省民会为当、若如宪草原案以参议会名之、可谓名实不符、以参议为赞襄之意非独立自主之谓也、此将宪草第一百条设参议会改为省民会之理由也、

第一一〇条　**增加文**　省民会于每年之三月一日自行集会一次其会期为二个月必要时得延长二十日但有下列情事之一者得开临时会

一　省民会代表三分一以上之联名通告

二　省政府之牒集

第一一一条　**增加文**　省民会之职权如下

一　制定或修正省宪法

二　罢免省主席及省务员

三　向省政府提请罢免所属公务员

四　制定省单行法规

五　议决省预算决算

六　解决省政府之争议

七　受理人民之请愿

八　对于省政府主席及省务员之质问

九　审核省政府之政治报告

十　其他依法律属于省民会职权范围之事项

第一一二条　**增加文**　本宪法规定国民代表职务与行为之限制及其自由之保障省民代表适用之

理由　按以上各条与宪草出入者甚多、一因宪草关于省之规定先行政机关而后民意机关、本案则先民意机关而后行政机关、故条文之位置、有前后之移易、二因宪草以省为行政区域、本案以省为自治团体、故关于民意机关职权之规定、有详简大小之异、而其根本、则由于省之地位与性质、宪草与本案所认定有不同、

原第九十八条
改第一一三条　**原　文**　省设省政府执行中央法令及监督地方自治

修正文　省设省政府除处理并监督地

方自治行政外兼依中央法令执行该省之中央行政

理由　吾国今日之所谓省、在其区域未变更以前、其性质应为刚性的自治团体、已如前述、省的性质、既为刚性的自治团体、则一方面须处理其自身之自治行政、一方面须监督县之地方自治、同时并须依照中央法令执行该省内之中央行政、是以一身而兼三职、为事实上所不得不然、故此条只有如是修正、始得符其地位与性质、

原第九十九条
改第一一四条　**原　文**　省政府设省长一人任期三年由中央任免之

修正文　省政府以省民直接选举之省务员七人至九人组织之任期三年在未能直接选举以前由省民会选举之

第一一五条　**增加文**　前项省务员分兼职不兼职二种不兼职者之人数不得及兼职者之半数

第一一六条　**增加文**　省政府设主席一人由省务员互选之

理由　此项理由、应分三部分说明、一、处理省务之机关采委员制、二、省务委员分为两种、一为兼职者、一为不兼职者、三、不兼专职者之人数、不得及兼职者之半数、此三部分理由中、最关重要而应详细说明者、为第一部分之采合议制、兹就此点分三项说明、

（子）从政务的性质方面言　省政务的性质与中央政务的性质迥异、中央政府主持国家大计、一切措施、贵敏捷迅速、故宜以总统或行政院长之独裁制负处理政务之责、省政务为地方政务、地方政务以审慎周密为主、无取乎迅速独裁之必要、故以合议制为较能收效、此其一、

（丑）从广罗人才方面言　一省之政务、以全省之人才处理为上策、而一省之中、特殊之人才少、同等之人才多、若采省长制、省长不得其特殊之人才充任、一方面感才不称职之苦、一方面启地位争夺之衅、其弊有不可胜言者、惟采委员制、使全省各党各派才德相埒、所谓地丑德齐者皆能参与省政、既免因地位而起政争之弊、而复有各方面并力合作之利、故权衡重轻、比较利害、委员制实优于省长制、此其二、

（寅）从选举减少竞争方面言　选举竞争、无论何

种选举、俱所不免、惟程度有差别、结果有良否、大抵被选之权位高、人数复少者、其竞争烈、若被选之权位较低、人数亦较多、其竞争亦必比较和缓、采省长制、所选仅为一人、其竞争自烈、采委员制、所选有数人、其竞争必较和缓、选举竞争激烈、选举之结果必难得优良、反之选举和缓、选举之结果必比较圆满、此征诸往事、可以证明、此从选举方面言、亦应采委员制之理由也、此其三、

进言第二部分、省务员分为二种之理由、省务处理既采合议制、则凡事以会议决之为原则、会议之精神、在列席会议者、皆能忠实从事、不屈不挠、不偏不倚、能言所当言、不以私人利害、有所顾忌而不言、然在人数少之会议中、与议者顾忌多端、或碍于情谊、与防人报复、不敢发反对之论、或以所议事件利害切己、不愿表真切之意、以致会议之可否失当、议决之结果不良、使政治陷于腐败、国家受其祸害、惟于兼职省务员之外、另设不兼职省务员数人、使其列席于省务会议之中、参加讨论、彼以不兼职之身、保持其空洞之见、任何议案、无须顾忌、发言立论、皆可自由、对于会议能尽其所应

言、使会议受良好之影响、所议决得完美之结果、此外如监督县以下之自治、事繁任重、省府须派专员前往指挥监督、事属常有此等派员亦以不兼职之省务员为最适、此主张设不兼职省务员之理由也、

复次就第三部分不兼职省务员人数不得及兼职者之半数言、省务会议、以兼职之省务员为主体、不兼职者居副位、主体之人数、自应较副位之人数为多、否则主客易位、不惟于理不当、亦为事实所不许、惟限制不兼职之省务员人数不得及半数、则反客为主之弊可免、赞助省务之功可期、此第三部分的理由也、

第一一七条　**增加文**　省政府主席及省务员各对省民会负其责

第一一八条　**增加文**　省务员如因执行中央行政违背法令时中央得依法律之规定惩戒之

第一一九条　**增加文**　本宪法规定之中央各院院长各所属公务员职务之限制省政府省务员各所属行政长官适用之

原第一〇一条
改第一二〇条 **原　文**　省政府之组织省参议会之组织职权及省参议会之选举罢免以法律定之

修正文　省政府及其他掌理省务机关之组织以法律定之

原第一〇二条
改第一二一条 **原　文**　未经设省之区域其政治制度以法律定之

第二节　县

概论　宪草以县为自治单位、笔者拟以县为低级自治团体、性质地位、俱有不同、故对于条文内容之规定、亦各相异、就民意机关言、一为县议会、一为县民会、就二者之职权言、一广阔、一狭小、再就一般事权之规定而言、一简单、一详明、其他如条文之位次、宪草以行政机关之县政府列于首端、而笔者则以民意机关之省民会置于县政府之前、诸如此类、故本节修正之点甚多、而条文位置之变更亦不少、兹依上开情形、谨修正如下、

原第一〇三条
改第一二二条 **原　文**　县为地方自治单位

修正文　县为低级地方自治团体即柔性的地方自治团体

理由　详地方制度概论中、

原第一〇六条 改第一二三条　**原　文**　县设县议会议员由县民大会选举之任期三年连选得连任

修正文　县设县民会由县民用直接秘密自由之方法选举代表组织之任期三年连选得连任

第一二四条　**增加文**　县民代表之名额由省宪法按县之等级规定之

第一二五条　**增加文**　县民会每年二月十五日自行集会一次会期一个月有必要时得由县民代表三分一以上之通知或县政府之牒集得开临时会

原第一〇七条 改第一二六条　**原　文**　县单行规章与中央法律或省规章抵触者无效

修　正　删除

理由　因县民会职权中、有此项规定、应将此条删

除、以免重复、

第一二七条　**增加文**　县民会之职权如下

一　制定县单行规章但不得与中央法律及省法律抵触

二　县之自治事项创制复决之权

三　议决县预算决算

四　对县长议建或质询

五　受理县民之请愿

六　审议县长之提议

七　其他依法应属县民会职权范围内之事项

原第一〇八条
改第一二八条　**原　文**　县设县政府置县长一人由县民大会选举之任期三年连选得连任县长候选人以经中央考试或铨定合格者为限

修正文　县设县政府置县长一人由县民用直接选举方法选举二人呈请省政府择一任命之任期

三年县长候选人以经中央考
试或铨选合格者为限

理由 县为自治团体、县长由县民直接选举、或由县民行使政权之机关如县民会者间接选举、俱为当理、今规定由县民直接选举二人、呈请省政府择一任命之者、其故有二、一、县之范围比较狭小、选举操纵、亦比较容易、倘仅县民或县民会选举、难免不受何种威胁或利诱、使选举失其真意、此其一、二、一经被举、便得权位、选举之竞争、必益剧烈、今规定选举后、尚须呈候省政府择尤任命、则竞选者纵或当选、然最后当选与否、尚在未定之天、万一当选于前、落选于后、竞选所耗之费、付之一空、且贻人笑、诚非计之得者、故选二择一之方法、竞选虽仍不免、然以顾虑甚多、竞争必比较和缓、而当选之人必比较贤能、不然一经当选、便取得地位、则县之富于财而或优于势者、必用全力从事于选举之竞争、其结果殊难料其必良、至县长由省府任命于县自治之权限有无妨碍则以省原为县自治之监督者、绝无妨碍之可言、

原第一〇九条
改第一二九条 **原 文** 县长受省政府之指挥处理全县

自治执行省行政及中央行政

第一三〇条 **增加文** 县长及其他自治人员有违法失职时经县议会四分二之议决得提出弹劾案呈请省政府罢免之

第一三一条 **增加文** 县长如因执行中央行政违背法令时国家得依法律之规定惩戒之

第一三二条 **增加文** 县民会之组织及县政府之组织依法律定之

第一三三条 **增加文** 县有财产及自治经费省政府不得处分之

第一三四条 **增加文** 县因天灾事变或自治经费不足时得请求省政府经省民会之议决由省库补助之

理由 县为省之本、省为国之基、县治隆者省无不兴、省治兴者国无不强、故县治为国治之基础、而县之财力与县治有密切之关系、县财力充足、县自治事宜自能充分发展、咸臻上理、故设此两条为谋县财力之充足、前一条为规定县之财富、省不得提取、后一条为规定县之经费、如有支出、省应予以补助、意在使县自治之基础稳固、直接人民受益、间接宪政行而国家兴盛也、

第三节　市

原第一一一条
改第一三五条　**原　文**　市之自治除本节规定外准用关于县之规定

原第一一二条
改第一三六条　**原　文**　市设市议会议员由市民大会选举之每年改选三分之一

修正文　市设市民会市民会代表由市民用直接秘密自由方法选举之每年改选三分之一

理由　省县之民意机关、既皆称民会、则市会亦自以称为市民会为当、市民会代表之选举、亦自以市民直接选举为便、至主张用直接秘密自由方法者、以市民与市之所谓特殊人物、多有密切关系、例如劳工与资本家、店主与店员、皆为连带关系、倘不用秘密自由之方法、选举人为情谊上利害上、诸难获自由之选举、世界各国

关于此类之选举、多采秘密自由主义者、悉以此故、今修正文加以秘密自由等字、亦缘乎此、此对于此条修正之理由也、

原第一一三条
改第一三七条 **原　文**　市设市政府置市长一人由市民大会选举之任期三年连选得连任市长候选人以经中央考试或铨选合格者为限

原第一一四条
改第一三八条 **原　文**　市长办理市自治并受监督机关之指挥执行中央或省委办事项

原第一一五条
改第一三九条 **原　文**　市议会之组织职权市议员之选举罢免市政府之组织及市长之选举罢免以法律定之

修正文　市民会之组织职权市民代表之选举罢免市政府之组织及市长之选举罢免以法律定之

理由　此条修正、仅将市议会改为市民会、议员改为市民代表、此等修改、殆为当然、其理由详市议会修改为市民会条文中、

原第六章 改第七章　国民经济

概论　十九世纪之宪法、以其为政治革命之结果、故以保障民权为依归、二十世纪之宪法、以经济革命正在酝酿之中、保障民权虽仍属重要、而改善经济制度、保卫民生、更为急切、以政治的民主主义、只能满足社会需要之半、必益以社会的民主主义、乃能满足社会需要之全、盖社会民主主义、不但于政治方面认个人有价值、即社会生活方面、或经济生活方面、亦认个人有价值、宪草有国民经济专章之设、洵惬民意、条文之内容、如土地之处理、资本之节制、企业之支配、与夫工农之保护等等规定、亦多洽当、人或讥以非驴非马、吾则以驴马之真似与否无关、只求于我国情为适耳、惟对于工业及一般实业之奖劝、与夫经济会议之设立、未予规定、似嫌疏漏、用将管见所及、分别修正而增加之、以期臻

于完善、

原第一一六条 改第一四〇条 **原　文** 中华民国之经济制度应以民生主义为基础以谋国民生计之均足

原第一一七条 改第一四一条 **原　文** 中华民国领域内之土地属于国民全体其经人民依法律取得所有权者其所有权受法律之保障及限制国家对于人民取得所有权之土地得按照土地所有权人申报或政府估定之地价依法律征税或征收之土地所有权人对于其所有土地负充分使用之义务

原第一一八条 改第一四二条 **原　文** 附着于土地之矿及经济上可供公众利用之天然力属于国家所有不因人民取得土地所有权而受影响

原第一一九条 改第一四三条 **原　文** 土地价值非因施以劳力资本而增加者应以征收土地增值

税方法收归人民公共享受

原第一二〇条改第一四四条 **原　文**　国家对于土地之分配整理以扶植自耕农及自行使用土地人为原则

以上各条、皆与民生主义之旨相符、且为世界各国今日进步的立法、倘能见诸实行、即经济的民主主义实现、亦即国民经济之根本改造、故主张维持宪草原案、

原第一二一条改第一四五条 **原　文**　国家对于私人之财富及私营事业认为有妨害国民生计之均衡发展时得依法律节制之

修正文　国家对于私人之财富及私营事业受法律之保护但因谋国民生计均衡之必要时得依法律节制之

理由　宪法以适合现时之国情为善、吾国今日之情势、资本主义既未可尽采、共产主义复未便即行、私人之财富与私营事业、虽不应绝对的予以保护、亦不能即时即予废止、以无害于民生、而有益于社会之财富、仍当予以保护也、故将宪草原文修正、对于私有财富、仍

暂以保护为原则、以废止为例外、揆诸绝对的社会民主主义虽未尽符合、而于国情则殊相适也、

原第一二二条
改第一四六条 **原 文** 国家对于国民生产事业及对外贸易应奖励指导及保护之

原第一二三条
改第一四七条 **原 文** 公用事业及其他独占之企业以国家公营为原则但因必要得特许国民私营之

国家对于前项特许之私营事业因国防上之紧急需要得临时管理之并得依法律收归国营但应予以适当之补偿

原第一二四条
改第一四八条 **原 文** 国家为改良劳工生活增进其生产技能及救济劳工失业应实施保护劳工政策妇女儿童从事劳动者应按其年龄及身体状态施以特别之保护

修正文 国家为谋工业之发展改良劳工生活增进其生产技能及救济劳工失业应实施保护劳工

政策妇女儿童从事劳动者应
按其年龄及身体状态施以特
别之保护

理由 此条修正、仅于国家为字下增加谋工业之发展六字、增加此六字之理由、以经济力为民族与国家发展之基础条件、经济力之发展、则以发展工业为要件、质言之、必将农业国、进而为工业国、始有经济力增加之可言、缘一国谋经济之独立、须先谋产业之发达、产业之发达、须先促进其国为工业化、我国今日为工业化过程中之农业国家、故我国今日应仿效欧美之经济政策、使我国经济成为工业化、吾国之产业始有发达之希望、经济力始有其基础、此增加谋工业之发展六字之理由也、他如因宪法上规定谋工业之发展、表示国策对于工业之重视、俾全国上下注重工业足以影响工业发展、则效力生于另一方面、为敢望而不敢必者也、

原第一二五条
改第一四九条 **原 文** 劳资双方应本协调互助原则
发展生产事业

原第一二六条
改第一五〇条 **原 文** 国家为谋农业之发展及农民
之福利应充裕农村经济改善

农村生活并以科学方法提高农民耕作效能国家对于农产品之种类数量及分配得调节之

原第一二七条
改第一五一条 **原　文** 人民因服兵役工役或公务而致残废或死亡者国家应予以适当之救济或抚恤

原第一二八条
改第一五二条 **原　文** 老弱残废无力生活者国家应予以适当之救济

第一五三条 **增加文** 中央及地方应急谋实业之建设私人经营之实业除第一百二十条规定外应保护并奖励之

理由 吾国今日民生主义之经济体制、其内容一为增加生产、一为均足财富、增加生产则以建设实业为主旨、均足财富、则以合理的保护私人经济实业为依归、缘资本主义未消减以前、不问私人资本、个人利润在合理的节制下、皆应听其存在、否则实业无由而与、即均足亦无由而致、足无由致、亦即均无由而得、以既患寡、而并患不均也、

第一五四条 **增加文** 中央及地方各设经济会议由

农工商等团体及其他实业团体代表组织之

第一五五条　**增加文**　经济会议之职权如下

一　提出经济政策或社会政策法律案于立法机关

二　审核中央或地方政府提出立法机关之重大经济政策或社会政策之法律案

三　对中央或地方政府建议关于经济立法或行政事项

四　解决劳资之争议

五　答复中央或地方政府关于经济或社会事项之咨询

第一五六条　**增加文**　经济会议之组织及会员之推选以法律定之

理由　宪法之规定、满足人民需要原为原则之一、今日吾国人民对于宪法之需要、民权而外、自属民生、民生问题之解决、却极复杂而困难、既不能全采资本主义、复不能全采共产主义、于二者之间、谋解决之道、集中全国人之经济意思、从长计议共谋而解决之、比较为当、宪草经济章、无经济会议设立之规定、不能谓非缺憾、以无集中经济意思之机关、即无经济统一之意见、从而政府与人民对于经济政策、经济民生主义之措施、无从判别其是非而定其取舍、惟为重视社会政策经济政策谋经济建设之完善计、仿英德及其他各国新宪之先例、与吾国天坛宪草民生章及国府置经济委员会之成规、于中央与地方各设经济会议、集合农工商及其他实业团体代表从事经济之研讨、以其所得者贡献于政府、灌输于人民、或提法案、或事建议、或参与政府经济与社会政策之决计、以期善的经济制度得以实现、使一国之经济组织、臻于公平、合于正义、全体人民之生活、合乎人道、而为、社会组织之基础、庶几符合宪法满足人民需要之原则及不负新宪之使命、此增加经济会议各条之理由也、

原第一二九条
改第一五七条 **原　文**　下列各款事项在中央应经国民大会或立法院之议决其依法律得以省区或县市单行法规为之者应经各该法定机关之议决

一　税赋捐费罚金罚锾或其

他有强制性收入之设定及其
征收率之变更

二　募集公债处分公有财产
或缔结增加公库负担之契约

三　公营专卖独占或其他有
营利性事业之设定或取销

四　专卖独占或其他特权之
授予或取销

省区及县市政府非经法律特许
不得募集外债或直接利用外资

原第一三〇条
改第一五八条　**原　文**　中华民国领域内一切货物应许
自由流通非依法律不得禁阻

关税为中央税收应于货物出
入国境时征收之以一次为限

各级政府不得于国内征收货
物通过税

对于货物之一切捐税其征收
权属于中央政府非依法律不
得为之

原第七章 改第八章 教育

概论 宪法之范围、因时而变更、如教育一项、在第一次欧战以前、各国宪法上曾予规定者、仅瑞士联邦宪法（第二十七条）、其他则未之前闻、至欧战以后、在宪法上设教育专章或专条为教育之规定者、则几成通例、如德、芬、立陶宛、等国则设专章、罗马尼亚、波兰、埃及、捷克、土耳其、及西班牙、等国、则设若干专条、同一事项、重轻前后悬殊、亦以国家之情势既变、人民之需要亦异、前认为无须规定者、今则认为非有规定不可耳、吾国新宪、对于教育不仅应有专章为之规定、且应有详密之条文、以挽救吾国今日教育之危机、与补充其需要、缘吾国今日教育之现况、不惟不足以新兴国家、长此以往、实足以致吾民族吾国家于万劫不复而不知所底止、尝考大都市各学校无论国立公立或私立、十之八九精神散漫、风纪颓败、负教育之责者、敷衍从事、不加整顿、或则以学校为官署、或则以学校为商店、教员以教育为谋生之具、学生以学校为进身之阶、学风之坏、成绩之劣、不堪言状、再就教育之作用言、一国之所谓教育、其作用不外为增进其国之精神文明、与物质文明、而吾国今日之物质文明、其落后固在百年以上、即精神文明、如所谓道德、亦仅有其名而未能举其实、在社会则是非不明、在国家则法纪荡然、道德为民族生存之要件、生命之源泉、国民之道德如此、国家之危险可知、所谓学术、则更令人短气、除周秦诸子各立专说、争陈真理、对于学术有所创作与发明外、此后一蹶不振、数千年如一日、纵有论著、无关国计、无与民生、以视欧美之学术日新、影响于政治经济教育者至宏且巨、岂仅有上下床之别、实为天渊之隔、总之吾国学术早已枯萎腐败、早已停滞消失、欲事复兴而继起之、机会在新宪、责任在制宪诸君、宪草有教育专章之设、甚盛甚盛、惟详审其所规定之大体、与条文之内容、似尚有若干斟酌之必要、一、过于简单、二、欠革命性、其由于环境之不同、与鉴于情势之有所顾虑耶、抑自由心证之结果认为真应如是耶、笔者以历次宪草、关于教育之规定各不相同、或后者优于前者、或后者又逊于前者、原因何在、令人发生以上之所感、笔者不揣愚蒙、谨将对于教育之所见、如谋普及、谋机会均等、及注重社会、又如精神方面主张培养道德、振兴学术、物质方面、主张奖励技能、保护发明、斟酌再三、或修正、或增加、务期规定比较周妥、足符人民需要、借以供制宪诸君之参考、与国人之研讨、

原第一三一条
改第一五九条 **原　文** 中华民国之教育宗旨在发扬民族精神培养国民道德训练自治能力增进生活智能以造成健全国民

原第一三二条
改第一六〇条 **原　文** 中华民国人民受教育之机会一律平等

原第一三三条
改第一六一条 **原　文** 全国公私立之教育机关一律受国家之监督并负推行国家所定教育政策之义务

原第一三四条
改第一六二条 **原　文** 六岁至十二岁之学龄儿童一律受基本教育免纳学费

修正文 六岁至十四岁之学龄儿童一律受基本教育免纳学费及其他教育上之必要费其衣食不能自给者并供给之

理由 人民求地位之平等、必先求智识之平等、欲求智识之平等、又必先求受教育之平等、惟求受教育之平等、非可自然而得、必有其得之之道、其道维何、即凡属人民、不论贫富、皆须有平等享受基本教育之机会、欲达此目的、惟有国家对于学龄儿童就学之待遇、不仅免纳学费、即其他关于教育上之必要费用以及衣食不能自给者、并供给之、盖以吾国大多数人民类皆沦于贫乏、非此则仅富有者能享受教育、其他贫乏者即基本教育亦无平等享受之机会、一国之中大多数人民不得享受基本教育、其影响所及、岂仅一个人与一家、即社会与国家、亦莫不大蒙其害、因社会与个人之进展、皆有待于教育之机会均等、况吾国今日人民中、文盲十居七八、文化落后百年、皆为不可掩之事实、今欲建设二十世纪之新国家、新社会、及养成新国民、倘犹不能使全民受基本教育、无异缘木求鱼、蒸沙作饭、惟于宪法上规定儿童受基本教育、所有全部费用、皆由国家负担、俾全民无论贫富、皆有享受基本教育之机会、庶几文盲可扫、新国民、新社会、与夫新国家有养成建设之希望、或谓全民皆受教育、事固至善、惟一切费用、悉由国家负担、需费甚巨、国家财力有限、第恐事实上无法应付、噫、是何言、夫国家以人民为目的、人民以国家为方便、为今日政治学所共认、费果为人民所需要、无论如何、国家应不避艰难而极力筹之、焉可因噎废食、以经费之难筹、而置人民生存必要之基本教育于不顾、是财力不足之说、不足为反对此等主张之理由也明甚、查张知本氏宪草对于人民基本教育亦有类似此项之规定、可谓先得我心、故此项之修正、谓之为笔者之修正可、谓之为添具理由赞同张氏之主张亦可、至学龄由六岁至十二岁改为由六岁至十四岁、比较原草案增加两年者、张氏无此主张、笔者之所以有此主张者、其理由有二、(一)以国民基本教育、事关国本、年限以较长为贵、(二)以我国文字、特别繁难、在他国读书六年、即多能执笔作字粗识文义、在吾国读书六年、不惟文义不识、并字亦认识有限、作字则多不成、惟改为八年、读书较多、其

他学力亦增比较能发生作用、况查世界各国人民之基本教育、定为八年者、亦早有其例、此修正此条各点之理由也、

原第一三五条 改第一六三条 **原　文**　已逾学龄未受基本教育之人民一律受补习教育免纳学费

修正文　已逾学龄未受基本教育之人民一律受补习教育免纳学费及其他教育上之必要费

理由　此条修正之根本理由、已详于前条修正理由中、不复赘述、其所以将其他教育上之必要费一项增入，而不将衣食费同行增入之者、以失学者之年龄、必在十四岁以上、其年龄已达十四以上、大概早已就业、或能就业、其生活必较十四岁以下者得有着落、特分别其待遇、亦不失为公平之立法、

第一六四条　**增加文**　中学以上学校无论中央或地方国立或公立须设百分十之免费学额于贫民免收学费及其他教育上之必要费

理由　人民皆受基本教育、有前二条之规定、虽非

绝无希望、惟一国之立、有待于精神物质两方面之创造者至巨且繁、人民仅受基本教育、仍不足以应国家与社会之需、必于基本教育外、广设中学以上各种高级学校、多方造就专门高等之人才、以谋精神物质两种文明之进步、庶几有当、二十世纪世界之竞争、表面为军事与物资之争、而实则为精神物质两种文明之争、精神物质两种文明进步多者其国强、反之其国弱、甚或至于亡、惟人才之多予造就、非可无由而至必、民之优秀者不问贫富、皆有就学及完成学业于高等专门与大学之机会、然优秀之子弟、不必富有、富有之子弟、又未必优秀、衡以恒情、富人子弟可造者转少、贫寒子弟、可成就者转多、非富人之子必愚、贫人之子必贤、只以贫富之环境不同、富人子弟多苟安而无志上进、贫人子弟、多奋发而求自立也、倘中学以上学校不广设免费学额、则专门高深之学府、仅富人之子能尽数入学、贫寒子弟、只有被摒于门墙之外、此无论揆诸教育机会均等之原则不合、而可造之才、听其失学、更为可惜、其受害直接为失学者、间接为国家、个人失学之损失小、国家之失人才损失大、若吾国今日万事落后、文化尤甚、而人才之需要、则视任何国家为殷切、上至政治与海陆空之建设、下及农工商业之改进、无一不待新人才、新学术以资运用、否则一切建设、徒资利薮、国帑虚耗之事小、贻误建国其害有不堪设想者、以吾国现情观之、再十年二十年不能建成为现代之国家、则纵不亡于目前、亦难免于今后、语虽似偏激、实含有至理、为今之计、惟有仿西班牙宪法（一九三一年）第四八条第四项、秘鲁宪法第七五条、及德国宪法第一四六条第三项之规定、国家及公共团体、筹费资助贫民得入中学以上学校、凡中学以上学校、无论中央或地方、国立公立皆设广额之免费学额、俾贫富子弟、皆得受高等教育、庶几造就多面人才备、精神文明物质文明两有进步、而学术与技术、皆有发展与精进、内而政治军事、外而经济贸易、掌理得人、建设有方、凡百措施、咸臻上理、足与世界各国相周旋、庶不负新宪法教育规定之使命、此主张增加此条之理由也、

原第一三六条
改第一六五条 **原　文**　国立大学及国立专科学校之设立应注重地区之需要以维持各地区人民享受高等教育之机会均等而促进全国文化之平衡发

展

第一六六条　**增加文**　实施教育时道德之培养与其他目的并重

理由　教育智体德三者并重、原属通例、宪草一三一条之规定、亦已将此原则包含于其中、即德育之培养、一三一条已有规定、今之所以不嫌重复而仍有此条之增设者、缘健全之国民、智德体三育虽皆属必要、而德育尤为要中之要、以德育在人的方面为体的作用、智体两育为用的作用、体的作用不发效力、用的作用纵能发生效力、而在整个的效力方面观之、其效用至难而至微、以体育智育不发达、非健全之国民、德育不完全、更非健全之国民、衡以今日吾国之情形、德育之注重尤为急切、以旧道德既败坏、新道德尚未建立、大多数人民大都不知道德为何事、以教育政治两方面为例、政治方面、贪污公然、职责不知、几为通病、教育方面、施教者类多以教育为方便、而非其目的、放弃职责、敷衍从事、受教者、则大都以文凭为目的、所求者形式、所学者皮毛、学业未成、欲望已奢、智能之修养毫无、物质之享受皆备、自入学以至毕业仅有个人享受之念、甚鲜为社会为国家服务之心、以若是之政治、若是之教育、救若是国难、以朽索驭六马、不足以喻其危险、质言之、国民之道德不进、纵智能有加、体力有强、而二十世纪之新国家、终无由而建设、以个人不健全、未有社会国家而能健全者、国人对于培养道德之主张、恒见习闻议宪者亦多及之、用不嫌固陋、本国人之公意、增加此条、以期有符合于国人之望、非敢为无谓之增益、

第一六七条　**增加文**　学校教育应保持其独立之精神学校教员之讲授除抵触刑法外应保障其自由

理由　国民之受教育求学识、原为其天赋之固有权利、此已为一般学者所公认、往者主持教育者、常凭借其特殊之地位、以少数人标榜之主义、或一部分人信仰之学说、列入学校必修课程内、强迫贯输于受学者之脑中、以束缚其思想、几以此为受学者求取学识之代价、揆厥用心、无非以学校为其宣传之机构、以受学者为其宣传之工具、似此而欲养成国民健全之学识、发挥其潜在之天才、戛戛乎难矣、笔者之意、学校教育必须具有独立之精神、除国家规定之教育方针外、无论何人不得

以国家设立之学校、供其利用、例如僧人私立之学校、研究经典可也、基督教会私立之学校、研究圣经可也、其他某党某派私立之学校、各自研究其信仰之学说主义、亦均无不可也、至若国立省立县立及一切公共之学校、则不应以任何主义学说、列入必修课程内、庶免以国家之经费、为私人制造工具之嫌、又文化程度之增高、由于学术之精进、学术之精进、由于学说辩难之周至、学校一切学科、理论有浅深、范围有广狭、惟教员之讲授、悉以广博为能事、一理之晰、反复推论、详征博引、以互证其真实、上下五千年、纵横九万里、乃能尽教授之能事、倘不保障其讲授之自由、见仁见智、各人之主观不同、况欲加之罪、何患无词、万一以尽职而转被指摘、是功而受过、讲学尽职之结果如此、试问谁复愿畅所欲言、发挥尽致、以为学术进步之求、惟宪法上规定教员之讲授、除刑法抵触外、应保障其自由、俾讲学得于不抵触刑法范围内、尽其所知而授之、无顾虑之弊、有发抒所见之机、直接裨益学子、间接影响学术、足为国民文化水准增高之助、张知本氏宪草、有此规定、白桃氏赞成之、笔者则以此项规定、在吾国今日尤有必要、故

添具理由而增加之、

原第一三七条 改第一六八条　**原　文**　教育经费之最低限度在中央为其预算总额百分之十五在省区及县市为其预算总额百分之三十其依法律独立之教育基金并予以保障贫瘠省区之教育经费由国库补助之

原第一三八条 改第一六九条　**原　文**　国家对于下列事业及人民予以奖励或补助

一　国内私人经营之教育事业成绩优良者

二　侨居国外国民之教育事业

三　于学术技术有发明者

四　从事教育成绩优良久于其职者

五　学生学行俱优无力升学者

原第八章
改第九章

原　文　宪法之施行及修正
修正文　宪法之施行解释及修正

理由　宪法之施行解释与修正、可谓各为一事、本章章文未将解释一项列入、似嫌挂漏、且宪法之解释问题、即宪法之保障问题、关系至巨、解释机关之适当与否、保障之强弱系之、用特将章文修正以解释一项补充于章文之内、俾与条文内容相符、似非多事、

概论　国贵乎有宪法、并贵夫有善良之宪法、有善良之宪法、尤贵乎有施行解释及修正之完善方法、关于施行解释及修正之方法、在世界各国、亦各不同、学说纷纭、莫衷一是、除施行方法大抵依据其宪法之内容及其国当时之情形予以规定比较简单外、其他如解释包括保障与修正、则见仁见智、因国而异、无一致之可言、

就解释言、则有付诸普通法院、或特别法院与国会为之者、如美国及英属加拿大、则采司法保障制、一则将宪法保障之任务、付诸最高法院、一则将解释宪法之责任付诸中央法院、法则采特别法院保障制、元老院之判决、可以直接撤销违宪之法律或命令、奥国新宪亦采特别法院保障制、特设宪法法院、宪法法院之判决、有间接撤销违宪法令之效力、其他如英国则采国会保障制、关于宪法解释权、由国会行之、再进而就修正言、其情形亦与解释同、各国以其国情之特殊、从而宪法亦有刚性柔性之异、如美则采刚性制、英则采柔性制、是即其例、以云何者为善、则美英所采之制不同、而其效用则一、以仍不能外制度之通例、善无绝对的、只有相对的、刚性有其优点、亦有其缺点、柔性有其长所、亦有其短所、应采何制、卒以国情为断、宪草关于宪法之施行解释及修正之规定大体虽亦妥洽、惟仍有应增删及修正之处、谨依管见所及、分别增删而修正之、

原第一三九条
改第一七〇条 **原　文**　宪法所称之法律谓经法院通过总统公布之法律

修　正　删除

理由　法律如何成立、宪法有种种规定、依其规定所制成者即法律、毋俟宪法上再设一种条文从事表证、此其一、依吾国新宪法律之成立、不应仅指立法院所通过者、因国民大会、亦有创制法律之权、国民大会既有创制法律之权、而今仅限于立法院通过者为法律、宁无挂漏之弊、此其二、依此二者原条文之应删除、似无疑义、

原第一四〇条
改第一七一条　**原　文**　法律与宪法抵触者无效法律与宪法有无抵触由监察院于法律施行后六个月内提请司法院解释其详以法律定之

原第一四一条
改第一七二条　**原　文**　命令与宪法或法律抵触者无效

修正文　法律与宪法抵触者无效命令与宪法或法律抵触者无效

理由　法律不得抵触宪法、及命令不得抵触宪法与法律、殆为立宪国之通例、宪草关于此项规定、分为两条者、大抵由于抵触与否之问题须付诸监察院提请司法院解释之所致、若如笔者主张、宪法之解释不属司法院、则当然无划分为二条之必要、应合并之为一条、故修正

之并为一条、张友渔氏论宪、对于此点之见解、与笔者相同、大足资笔者主张之助、

原第一四二条
改第一七三条 **原　文**　宪法之解释由司法院为之

修　正　此条移置于一四五条之后

原第一四三条
改第一七四条 **原　文**　在全国完成地方自治之省区未达半数以上时立法委员及监察委员依下列规定选举任命之

修　正　删除

理由　因笔者在中央政府章、既已主张立法委员及监察委员应径由国民大会选举、则只须国民大会得以开会、总统得以选出、则立法委员及监察委员亦自能全数选出、无选举半数任命半数之必要、此主张删除之理由也、

原第一四四条
改第一七五条 **原　文**　在地方自治未完成之县其县长由中央政府任免之

修　正　删除

理由　宪草之用意、不外以地方自治未完成之县、对于选举县长诸多不便、故不如暂由中央任免较为得

当、不知地方自治为一事、选举县长又为一事、选举县长为施行宪政之一种、地方自治虽与施行宪政有密切之关系、然非其必要之先决条件、质言之、地方自治纵未完成、而宪政不能因其未完成而遽予中止实施也、若必待地方自治而始能选举县长、是无异必各地方自治完成而始能施行宪政、于法于理、是否为通、况宪草第一四八条曾规定“宪法规定事项有另定实施程序之必要者以法律定之、一是更可不必另有如本条之具体规定、

第二项 **原　文** 前项规定于自治未完成之市准用之

修　正 删除

理由 县之地方自治未能完成、仍得选举县长则市之自治如未能完成、亦当然得选举市长、故此项应随同第一项删除、

原第一四五条 改第一七六条 **原　文** 促成地方自治之程序以法律定之

原第一四六条 改第一七七条 **原　文** 第一届国民大会之职权由制宪法之国民大会行使之

修正文　制定宪法之国民大会在未依宪法选举第一届国民大会集会以前代行国民大会之职权至第一届国民大会集会之日止

理由　国民大会为宪法上不可一日或缺之机关、然制宪之国民大会、与平时之国民大会其性质与职权完全不同、自身行使国民大会职权与代行国民大会职权又各异、制宪之国民大会代行第一届国民大会之职权可也、谓为自行国民大会职权不可也、故吾国之宪法上虽不可一日无国民大会之机关、然正名定义、只可以制宪之国民大会代行之、不得以制宪之国民大会径为之、至代行至何时终了、则当然以自行其职权之第一届国民大会集会之日、为终了之期、查各国先例、对于此种过渡办法、类如是之规定者至多、此修正之理由也、再有应声叙者、此条之性质属于宪法之施行、其位置应在解释宪法之前、故将其位置移于前、

原第一四二条
改第一七八条　**原　文**　宪法之解释由司法院为之

修正文　宪法之解释由宪法会议为之

理由 宪法之解释、各国所采之制度不同、已于本章总论中述及、不复赘言、吾国应采何制自属问题、宪草采司法机关解释制、原非无所依据、亦非绝对不当、惟衡以吾国之情势、及新宪所采之制度、似不如采民意机关制由国民大会为之之为当、其理由可分为三点述之、一、司法院虽为五权独立之一、然为治权机关、非政权机关、以治权机关负解释政权机关所制成宪法之重责、于法于理、俱为不适、此其一、二、美国为三权分立之模范国、其最高法院之尊严与威信、等于总统与国会、且政府与人民习于宪政、违宪之举、鲜有所闻、其以法院解释宪法、可谓至当、吾国司法独立为时甚暂、以言尊严与威信、无论法律如何规定、在实际上终难与行政立法两权相颉颃、况宪政新行、政府与人民违宪之举、势所难免、果以司法院当解释之冲、其结果非放弃职权、即辗转失效、此其二、三、国民大会为人民行使政权兼监督治权之机关、尊严无与伦比、威信当然特异、以其组织宪法会议从事宪法之解释、自比较司法院为善、若谓国民大会实际上仅有代表人民行使政权之名而终不能举其职责之实、则事关国本之动摇、岂仅宪法失其保障、

即一切权责、亦无由得行使矣、此就国民大会之性质言、宪法之解释亦应由国民大会所组织之宪法会议为之也、

第一七九条　**增加文**　宪法之修正由宪法会议行之

理由　宪法之修正与宪法之解释、虽不必同属一机关、然在吾国则比较以同一机关为便、故主张宪法之修正亦与宪法之解释同由宪法会议处理之、在各国先例类如是规定者亦复至多、

原第一四七条
改第一八〇条　**原　文**　宪法非由国民大会全体代表四分一以上之提议四分三以上之出席及出席代表三分二以上之决议不得修改之

修正文　宪法非由国民大会全体代表五分一以上之连署提议三分二以上之出席及出席三分二以上之决议不得修改之

理由　宪法之修正问题、即宪法采刚性制或柔性制之问题、宪法应采刚性制、抑应采柔性制、已如前述、制度之本身、无绝对是非之可言、其是非者仍不外以国情为断、过于柔性有易失宪法尊严之弊、过于刚性、亦

有阻碍国家进步之虞、吾国宪政、事属初行、宪法所定是否适当、非实行后不敢为之断定、重以吾国万事落后、国家今后之设施既繁且夥、政治经济与夫社会情状日在演变之中、国情既常有变易、则以适合国情与人民需要为原则之宪法、焉能一举不变、倘修正宪法之规定过事刚强、则法律不能适应实际、其结果非迫之失效、即贻误事机、或竟酿成政变与宪法革命、其弊有不忍言者、惟采比较的柔性制、将原案提议修改人数之四分一改为五分一、而于提议二字上加连署二字、以求提议者责任与人数之明确、将出席之四分三以上改低为三分二以上、至决议之人数以宪法为根本大法与普通法律不同、主张照原草案之规定同为三分二以上、

第二项 **原　文** 修改宪法之提议应由提议人于国民大会开会前一年公告之

修正文 修改宪法之提议应由提议人于国民大会开会前三个月公告之但临时有紧急需要修改时不在此例

理由　原宪草第二项之规定、在使修正案事前与国人共见、以便研讨、用意原有足多者、惟公告之期间须在国民大会开会一年之前、殊嫌过长、此在国民大会每三年开会一次情形之下、尚或得为之、若如笔者主张国民大会每年开会一次、则在实际上绝对不能适用、故将一年前之公告期、改三个月前并设但书以济紧急修改之穷、缘宪法之需要修改不尽可待于三个月之后、万一遇有紧急修正之必要、而一律绳以三个月前之公告、岂非贻误事机、遗害国家、此修正原文并设但书之理由也、

第一八一条　**增加文**　国体不得为修正之提议

理由　国体为国本所关、国体如成问题、即国本动摇、国家改造、是非修正宪法、乃根本推翻民国、故规定不得有此提议、以示尊重而杜乱源、

第一八二条　**增加文**　宪法会议以国民大会代表组织之

理由　宪法之解释与修正、既采人民代表机关制、则自应由国民大会组织宪法会议、由宪法会议以行使其职权、故设此条规定宪法会议之组织以明其旨、

附　载

读政协会五五宪草审议会修改原则书后

五五宪草，以为时已久，国情多变，其须修改，不仅为多数国民所共认，即当日主持草案之诸君，亦俱认为有必要，惟修正应依何种手续，及如何修正始为至善，则见仁见智，未必尽同，斯为最难解答之问题。笔者于二年前，恒以此质诸国人，并曾主张由国民参政会，推举参政员若干人，及由政府选聘宪法专家若干人，合组五五宪草审议会从事修正，俾国大开会前，有一适当之国宪草案，供国大之参考，既足节省时间，复免会议时人众意杂，难得适当之议决。迨本年春，有政治协商会议之召集，政协会中，复有五五宪草审议会之设立，闻悉之下，以其正符私祝，欣慰万状。查审议会对于审议之进行，一有修改原则之决定，二有修改具体意见之表示，细读一过，其所修改各点，尚待商榷者虽仍不免，而较之原草案则妥善远甚，尤令笔者兴奋者，即修改原则中，大多与拙著相同，其显著之处，如地方制度，拙著主张省为地方自治最高团体，审议会则主张省为地方最高单位，拙著主张省与地方之权限，采均权制，审议会主张亦复相同，又如拙著主张省长民选，省得制省宪，审议会亦主张省长民选与省得制省宪。又如人民之权利义务，拙著主张采宪法保障主义，审议会亦主张应受宪法之保障，不受非法之侵犯，再如拙著对于经济与教育制度，主张国家的社会的，审议会关于经济与教育之主张，亦主张国家的社会的，惟有较拙著更为进步处，此不惟为笔者所引为欣幸，亦笔者所深致敬佩者也。惟关于国民大会，立法院，监察院，司法院，考试院，行政院，与总统等机关之组织与职权之规定，虽较五五宪草有大多之进步，然仍未敢认为已臻尽善，其原因非技术关系，乃本质上之见解不同，用将鄙见所及，陈其梗概，与留心国宪及负制宪责任诸君子共商之。

一、国民大会　国民大会问题，应分两部分研究，

（一）为其组织与性质，（二）为其职权，就其组织与性质而言，国民大会之组织与性质，虽不能与其他立宪国之国会完全相同，要亦不能与之大异，（1）每年开会一次以上，每次会期，必须三个月以上，（2）闭会期中，须设具有代表性质之委员会，其理由详拙著国大章。就职权而言，（1）以其为最高之民意机关，（2）以其为国民行使政权之唯一机关（一般称为主权机关），而其职权之研究，在五权独立制度之下，有应先决之问题，即政权与治权是否应行划分不得混合，即立法监察两院是否得兼行使属于国大职权中一部分之政权，此问题不得解决，国大之职权即无由得一适当之认定。

现时国人对于国大之职权，大都有两种主张：（甲）以国大为人民唯一行使政权之机关，所有人民政权，其他机关不得行使，（乙）以国大虽为民意机关，人民之政权由其行使者仅一部分，其他一部分得让与立法监察两院及其他治权机关行使之，二者是非孰属，争执颇烈，五五宪草为主后者，政协宪草审议会亦主后者（政协宪草审议会修改原则，关于国大职权之主张，为仅行使创制复决选举罢免四权）笔者则不敢附同，前曾主张前说，今仍守其旧，其理由已详拙著国大章中，兹再加以释明者，窃以国民政权之行使，应以国民大会为限，在世界各国宪法之原则上，主权与政权不容混淆（即政权与治权不容混淆），民意机关，与政府机关权限，应有划分，中山先生建国大纲，关于宪法上之主张，亦显示政权与治权各别行使，最高之民意机关，为国民行使政权之机关，五院为最高之行使治权机关，治权机关，应有其独立之职权，以尽其能，政权机关，更应有其独立之职权，以行其权，国民大会为最高民意机关，亦即为国民唯一行使政权之机关，藉非然者，政权与治权不分（即主权与政权不分），治权机关或兼有政权，使治权与治权抵触，五权独立之精神不保，政权之机关分立，立法之系统上，固嫌矛盾，行政之系统上，亦感紊乱，故笔者主张凡人民政权所属之国务，皆由国民大会行使其决定权，如宣战、媾和、预算、决算、增税、订约与同意等等，皆直接与国民权义有关，俱应由国民大会议决之，立法，监察等院，既不得分有其权，则立法监察两院之职权，应如拙著修正案之规定，或略事修正，比较衷于法理与事实，孙哲生先生，在政协宪草审议会中，对国民大会章之说明，虽谓能创制复决法律，即能创制复决政策，然按之实际，则殊未必然，夫无故牵制政府，使之不便于行权，固为政制所不许，而依法监督政府，以防专制则又为政制所必要，此关于国大职权，愿与留心国宪及制宪诸君商榷者一。

二、立法院　世界立宪国，关于立法事宜，权属国会，我国宪法采五权独立之结果，立法另设专院，性质则为治权，其职权自应以立法为限，审议会修正原则，定“其职权相当于各民主国家之议会”，笔者期期以为不可，名实既不相符，权限亦自不能强同，理由详拙著修正案中，不复赘述，此关于立法院职权，应与留心国宪及制宪诸君商榷者二。

三、监察院　监察院为我国所创制之机关，沿袭监察御史之制，设之可也，但其地位，亦为治权机关，只可行使监察弹劾等权，若同意权，则应属诸国大，审议会定其权职，于弹劾监察之外，并得行使同意权，笔者亦以为于法于理俱为不合，此关于监察院职权，应与留心国宪及宪制诸君商榷者三。

四、司法院　审议会以司法院为国家最高法院，不兼管司法行政，由大法官数人组织之，法良意美，极表赞同，惟大法官，应由国民大会选举，审议会主由总统提名，经监察院同意，则殊嫌不洽，缘司法院与监察院同为治权机关，监察院对司法院之大法官有同意权，微论论理不合，即事实亦为不当，司法之独立为绝对的，同地位之监察院对之行使同意权，其独立之精神完全丧失，此关于司法院职权，应与留心国宪及制宪诸君商権者四。

五、政协宪草审议会，对于各院院长或委员之同意权，不属于国民大会，而属各院，使院对院负责，如考试院委员，经监察院同意，行政院院长经立法院同意，并对立法院负责，笔者亦认为与五院独立之精神有背，同意权应属于国大，负责亦应对国大，一以维持五权独立之制，一以符合政权治权各别行使之旨，此关于各院间之权责，愿与留心国宪及制宪诸君商権者五。

六、立法院如不兼行使政权，仅以创制议决法律为职权，则对行政院之不信任案，与行政院对立法院之提请解散案，皆无由发生，所有不信任案与解散案，悉应属于国大，此法理上之当然，此关于立法行政两院相互关系，愿与留心国宪及制宪诸君商榷者六。

以上所陈，悉本民主精神，五权制度，及中山先生建国大纲对于宪法之所指示立论，虽明知无补高深，聊作刍荛之献云尔。

罗家衡　三五 · 九

三联经典文库第二辑简目

《游击战教程》　明凡 / 著

《游击战术纲要》　陶剑青 / 编著

《汪精卫卖国的理论与实践》　钱俊瑞 / 著

《抗战以来》　韬奋 / 著

《陕行纪实》　楚云 / 著

《随军散记》　沙汀 / 著

《被日寇囚系半载记》　王研石 / 著

《倭营历险记》　房沧浪 / 著

《活跃的新西北》　田影 / 编著

《保卫华北的游击战》　刘清扬　陈北鸥等 / 著

《徐州突围》　《徐州突围》编委会 / 编

《沦亡的平津》　长江　小方等 / 著

《淞沪火线上》　胡兰畦等 / 著

《瞻回东战场》　长江　罗平 / 著

《东线的撤退》　胡兰畦等 / 著

《抗战中的西北》　徐盈 / 著

《鲁闽风云》　徐盈等 / 著

《西线生活》　西北战地服务团集体创作

《中国解放区见闻》　［美］福尔曼著 / 朱进译

《全面抗战论》　潘汉年 / 著

《日本的间谍》　范士白自述 / 尊闻译

《日本大陆政策的真面目》　国难资料编辑社 / 编

《民众动员论》　李公朴 / 著

《中国外交史》　钱亦石 / 编著

《太平洋军事地理》　蒋震华 / 著

《世界经济地理讲话》　思慕 / 著

《列强军力论》　［德］马克斯 · 威纳尔著 / 宾符　仲持　梅益等译

《近代国际关系史》　张铁生 / 著

《太平洋现势手册》　沈志远　石啸冲 / 编著

《近代世界政治史》　钱亦石 / 著

《从战争到和平——一九四五年的世界政治》　乔木 / 著

《战后日本问题》　思慕 / 著

《最近一年间的国际动态（1946.7–1947.6）》　《东北日报》社 / 编

《论政党》　翟放 / 著

《法与宪法》　韩幽桐 / 编著

《中华民国宪法刍议》　罗家衡 / 著

《民主 · 宪法 · 人权——作之民》　费孝通 / 著

《宪法论初步》　潘念之 / 著

《对反民主的抗争》　韬奋 / 著

《农村改进的理论与实际》　江恒源 / 著

《上海产业与上海职工》（上下）　朱邦兴　胡林阁　徐声 / 合编

《陶行知教育论文选辑》　陶行知著 / 方与严编

《中国通货膨胀论》　杨培新 / 著

《中国及其未完成的革命》　H·普拉特著 / 蒋天佐译

《中国的建设问题与人的训练》　卢作孚 / 著

《论中国特殊性及其他》　艾思奇 / 著

《中国经济问题讲话》　钱俊瑞　徐雪寒　王渔邨　姜君辰　骆耕漠 / 合著

《中国经济的道路》　许涤新 / 著

《中国财政之病态及其批判》　孙怀仁 / 著

《官僚资本论》　许涤新 / 著

《五四运动之史的评价》　陈端志 / 著

《中国通史简编》（上下）　中国历史研究会　范文澜 / 主编

《论文学的工农兵方向——读〈在延安文艺座谈会上的讲话〉》　雪苇 / 著

《中国近代史（上编　第一分册）》　武波 / 编著

《文学百题》　傅东华 / 编

《中国史学之进化》　周谷城 / 著

《论民族形式问题》　胡风 / 著

《论批评》　荃麟等 / 著

《中国史纲》（第一卷上下、第二卷上下）　翦伯赞 / 著

《近代中国思想学说史》（1-4）　侯外庐 / 著

《中国政治思想史》（上下）　吕振羽 / 著

《中国哲学史纲要》　向林冰 / 著

《中国政治史讲话》　钱亦石 / 著

《中国社会经济史纲》　王渔邨 / 著

《新财政学大纲》　千家驹 / 著

《太平天国革命运动论文集——金田起义百周年纪念》

华北大学历史研究室 / 编

《理性与自由——文化思想批评论文集》　胡绳 / 著

《战斗者的诗人》　黄药眠 / 著

《国语文法》　曹朴 / 著

《教育哲学》　张栗原 / 著

《妇女问题讲话》　杜君慧 / 著

《婚姻 · 子女 · 继承》　沙千里 / 著

《性教育新论》　布士克　雅各生合著 / 董秋斯译

《狱中杂感》　杜重远 / 著

《七人之狱》　沙千里 / 著

《爱迪生传》　伍况甫 / 译

《歌德自传》（上下）　歌德著 / 思慕译

《尼赫鲁自传》　［印度］尼赫鲁著 / 毕来译

《列宁传》　［苏］凯尔任采夫著 / 企程　朔望译

《罗斯福总统传》　C．Mackenzie 著 / 张尚之译

《托尔斯泰传》（1–3）　［英］阿尔麦 · 莫德著 / 徐迟译

《革命文豪高尔基》　［美］亚历山大·康恩著 / 韬奋编译

《鲁迅纪念特辑》　新中国文艺社 / 编

《回忆鲁迅先生》　萧红 / 著

《人民文豪鲁迅》　平心 / 著

《亡友鲁迅印象记》　许寿裳 / 著

《鲁迅思想研究》　何干之 / 著

《鲁迅研究》　夏征农 / 编

《过来的时代：鲁迅论及其他》　雪峰 / 著

《电影戏剧表演术》　洪深 / 著

《日常心理漫谈》　［美］约瑟夫·查斯特罗著 / 曾宝施译

《心理常识漫话》　朱智贤　杨云美 / 著

《读书的方法与经验》　王任叔 / 著

《美国黑人生活纪实》　［美］加德维尔　斯坦倍克著 / 董秋斯译

《初访美国》　费孝通 / 著

《事业与成功》　［美］马尔腾著 / 汪原放译

《萍踪寄语（初集）》　韬奋 / 著

《一生的幸福前途——〈生活周刊〉信箱选集》　生活书店 / 编选

《深刻的印象》　生活周刊社 / 编

《海外的感受》　生活书店编译所 / 编